Sous la direction de Fernand Angué

LE MENTEUR

avec une biographie chronologique de Corneille, un tableau de son œuvre, une analyse de « la Verdad Sospechosa », une analyse méthodique du « Menteur », l'Epitre dédicataire, l'Avis au lecteur, l'Examen de 1660, des notes, des questions, des sujets de devoirs

par

Pierre VOLTZ

Agrégé des Lettres
Assistant à la Faculté des Lettres
et Sciences humaines d'Aix

BORDAS

Musée Corneille au Petit-Couronne, près Rouen

Cl. Ellebé

Portrait présumé de Pierre Corneille
Peinture anonyme

I.S.B.N. : 2-04-028293-9

LA VIE DE CORNEILLE (1606-1684)

1606 (6 juin). Naissance de PIERRE CORNEILLE, rue de la Pie, à Rouen, près du Vieux-Marché, dans la maison achetée par son grand-père, conseiller référendaire à la Chancellerie du Parlement de Normandie. Cette maison, dont héritera le poète, est aujourd'hui le Musée Pierre Corneille. Toute la famille, d'honorable bourgeoisie, exerce des fonctions juridiques ou ecclésiastiques : le père est maître des Eaux et Forêts, la grand-mère était la nièce du greffier criminel au Parlement. Parmi les oncles, l'un est curé d'Yvetot, un autre procureur au Parlement; seul, le troisième se contente de ses propriétés rurales. En somme, un milieu aisé, solidement enraciné dans sa province, respectueux des traditions et des hiérarchies du temps.

1615-1622 Au collège des Jésuites de Rouen, Pierre Corneille reçoit une solide formation religieuse et une culture essentiellement latine. Il se distingue dans les compositions de vers latins (deux premiers prix) comme, plus tard, le feront Baudelaire et Rimbaud. On ignore s'il joua des rôles (comme l'avait fait Montaigne au collège de Guyenne) dans les pièces latines composées par les professeurs. L'amour qu'il éprouve pour la jeune CATHERINE HUE lui inspire ses premiers vers.

1624 A dix-huit ans, Corneille est reçu **avocat** stagiaire; son initiation à la procédure durera quatre ans. La tradition rapporte qu'il ne plaida qu'une fois, gêné par une timidité dont il avait pleinement conscience. En vérité, la vocation poétique l'emporte sur la carrière juridique, les Muses consolant le jeune homme de son amour contrarié par les parents de Catherine. Rouen, la seconde ville du royaume, lui offre des bibliothèques, un cercle littéraire, le « Puy des Palinods », des amateurs de Lettres (les frères Campion), une colonie espagnole, avec laquelle sa famille contracte alliance. L'exemple d'aînés illustres, tels Malherbe, Saint-Amant, Boisrobert, Camus stimule le débutant.

1629 Écho de sa passion pour Catherine, la comédie de **Mélite** est emportée à Paris par l'acteur Mondory, qui la fait applaudir au Théâtre du Marais. « La demoiselle qui en avait fait naître le sujet porta longtemps, dans Rouen, le nom de Mélite, nom glorieux pour elle, et qui l'associait à toutes les louanges que reçut son amour », observe Fontenelle (*Vie de M. Corneille*, éd. de 1764, III, p. 52). Néanmoins, Corneille reste attaché à sa ville natale pour de nombreuses années encore. Son père lui a acheté (1628) une double charge d'avocat du Roi, qu'il exercera ponctuellement pendant vingt-deux ans. Ces offices n'entraveront nullement l'essor de son génie dramatique; de 1629 à 1635, les pièces se succèdent rapidement : *Clitandre, la Veuve, la Galerie du Palais, la Suivante, la Place royale.*

1635 **Richelieu** consacre la notoriété de l'écrivain en lui accordant une pension de 1 500 livres et en l'admettant dans la « société des cinq auteurs », chargés d'illustrer la scène française. L'accueil reçu par la *Sophonisbe* de Mairet (1634), première tragédie « régulière », incite Corneille à tâter, lui aussi, du genre tragique avec *Médée* (1635).

1636-1637 Le succès d'un « caprice » à la verve débridée, *l'Illusion comique*, est encore dépassé, en cette année triomphale, par celui du **Cid**, dont la grandeur héroïque et la passion exaltée enthousiasment le public parisien. *Le Cid* vaut au père de Corneille des lettres de noblesse. Mais la jalousie des rivaux et l'incompréhension des doctrinaires suscitent la **querelle du Cid,** et Richelieu soumet la tragi-comédie à l'examen de l'Académie française sans l'assentiment de l'auteur. Les *Sentiments de l'Académie sur le Cid* (1637), rédigés par Chapelain, humilient profondément Corneille. Et Richelieu lui interdit de répondre [1].

1640-1644 Corneille compose *Horace, Cinna, Polyeucte, la Mort de Pompée,* et se divertit avec la fantaisie espagnole du **Menteur** et *la Suite du Menteur*. A trente-quatre ans, il épouse MARIE DE LAMPÉRIÈRE, fille du lieutenant civil et criminel du bailli de Gisors; elle sera une bonne mère de famille. La mort de Richelieu, puis celle de Louis XIII l'obligent à chercher de nouveaux protecteurs : Mazarin lui accorde une pension que le poète paye d'un *Remerciement* en vers, selon l'usage de l'époque.

1644-1648 Corneille se renouvelle en donnant les premiers rôles à des monstres capables de « beaux » crimes dans *Rodogune* (1644), *Théodore, vierge et martyre* (1646), *Héraclius* (1647), puis en commençant une pièce « à machines », *Andromède,* commandée par la Cour pour le Carnaval de 1648.

1649-1652 Alors que les Traités de Westphalie (1648) consacrent l'hégémonie française en Europe, à Paris la Fronde oppose les Parlementaires et les Princes à Mazarin et à la Reine. *Andromède* et *Dom* [2] *Sanche d'Aragon* doivent attendre la fin des troubles et la réouverture des théâtres. Les salons se délassent des intrigues politiques en disputant du mérite des sonnets de *Job* et d'*Uranie,* que Corneille se garde de départager. La Fronde gagnant la Normandie, Mazarin destitue les magistrats « frondeurs » de Rouen et élève Corneille à la charge de procureur syndic des États de Normandie; mais un rapide retour en grâce de son prédécesseur prive Corneille de sa nouvelle charge... et il a vendu l'ancienne.

1. Mais Richelieu avait lu le mémoire de l'Académie avant sa publication, et il avait demandé que les critiques fussent quelque peu adoucies.
2. Sur cette orthographe, voir Antoine Adam, *Histoire de la littérature française au XVIIe siècle*, III, p. 321.

Il se console avec l'affection de son jeune frère Thomas, qui habite dans sa maison (1650), et le succès de *Nicomède* (1651), où le public applaudit les allusions politiques.

1652-1655 L'échec de *Pertharite* (1652) le détourne une nouvelle fois de la scène. La vie de famille (il a sept enfants), les affaires de sa paroisse et la traduction en vers français de *l'Imitation de Jésus-Christ* l'absorbent. Ni le développement du Jansénisme en Normandie, ni l'ardente polémique des *Provinciales* ne le font dévier de l'orthodoxie catholique : « J'ai été assez heureux, constate-t-il, pour conserver la paix en mon particulier avec les deux partis opposés sur la question de la Grâce. »

1656-1661 Dès 1656, Corneille commence une « pièce à machines », *la Toison d'or*, pour un gentilhomme normand. Le succès éclatant du *Timocrate* de son frère Thomas, les polémiques suscitées par *la Pratique du théâtre* de l'abbé d'Aubignac (1657), ses relations avec Molière, dont la troupe joue à Rouen avant de conquérir Paris, l'encouragent à rentrer en lice. A la poésie pieuse succède la poésie galante, soit en l'honneur de MARQUISE DU PARC, vedette de la troupe de Molière, soit à la gloire des précieuses parisiennes avec lesquelles il correspond par l'intermédiaire de Thomas ou de l'abbé de Pure. La réussite d'*Œdipe* (1659) à l'Hôtel de Bourgogne et de *la Toison d'or* (1660) au théâtre du Marais, puis l'édition de son Théâtre complet, accompagné de trois **Discours sur l'art dramatique** (1660) consacrent sa royauté littéraire. L'arrestation de Fouquet, son protecteur, n'entame pas sa faveur près de Louis XIV.

1662-1674 Pierre et Thomas Corneille quittent Rouen et s'installent à Paris chez le duc de Guise, qui les protège. La fréquentation des salons et les cabales littéraires entraînent les deux frères dans une agitation brillante et vaine. Sur le tard, Pierre Corneille devient « bel-esprit » et en manifeste les susceptibilités : il se brouille avec Molière en prenant parti contre lui dans la querelle de *l'École des femmes* (1663), et avec d'Aubignac lors de la querelle de *Sophonisbe*. Qu'importe, puisque la liste des pensions royales établie par Chapelain lui attribue deux mille livres annuelles, et que les lettres de noblesse lui sont confirmées. Sa longévité est aussi admirable que le sera celle de Victor Hugo. Après *Sophonisbe* (1662-1663), six œuvres nouvelles attestent sa fécondité dramatique, cependant que de vastes et nombreux poèmes religieux prolongent l'inspiration mystique de *l'Imitation*. Il célèbre en vers les victoires de Louis XIV en Flandre, en Hollande, et la paix de Nimègue : deux de ses fils et un gendre sont officiers (ce gendre et le second fils tomberont au service du roi). Cependant, cette hégémonie littéraire va décliner sous les coups d'un jeune rival : Racine. Le « clan » des Normands (Pierre,

1. La jeunesse

6 comédies : *Mélite* (1630); *la Veuve* (1631); *la Galerie du Palais* (1632); *la Suivante* (1633); *la Place royale* (1634); *l'Illusion comique* (1636).
1 tragédie : *Médée* (1635).
2 tragi-comédies : *Clitandre* (1631); *le Cid* (1636-1637).
2 pièces en collaboration : *La Comédie des Tuileries*, acte III (1635); *l'Aveugle de Smyrne*, acte I (1637).

2. La maturité

9 tragédies : *Horace* (1640); *Cinna* (1641); *Polyeucte* (1642); *la Mort de Pompée* (1644); *Rodogune* (1645); *Théodore* (1646); *Héraclius* (1647); *Nicomède* (1651); *Pertharite* (1651).
2 comédies : *Le Menteur* (1643-1644); *la Suite du Menteur* (1644-1645).
1 comédie héroïque : *Dom Sanche d'Aragon* (1649).
1 pièce à machines : *Andromède* (1648).

3. La vieillesse

2 pièces à machines : *La Toison d'Or* (1660); *Psyché* (en collaboration, 1671).
7 tragédies : *Œdipe* (1659); *Sertorius* (1662); *Sophonisbe* (1663); *Othon* (1664); *Agésilas* (1666); *Attila* (1667); *Suréna* (1674).
2 comédies héroïques : *Tite et Bérénice* (1670); *Pulchérie* (1672).

ŒUVRES POÉTIQUES

Inspiration galante : *Stances à Marquise Du Parc.*
Inspiration patriotique : *Victoires du roi.*
Inspiration religieuse : traduction en vers français de l'*Imitation*; traduction des *Louanges de la Sainte Vierge*; *Office de la Vierge* (4 000 vers); *Ode au P. Delidel*; *Hymnes de saint Victor*...

ŒUVRES THÉORIQUES :

Préfaces, dédicaces et *examens* des pièces; trois *Discours sur l'art dramatique*; l'*Excuse à Ariste* (en vers).

Documents anciens :

Tallemant des Réaux, *Historiettes*; Fontenelle, *Vie de P. Corneille avec l'histoire du théâtre français jusqu'à lui*, 1721.

Documents récents :

Ch. Marty-Laveaux, *Notice biographique* dans l'éd. des *Œuvres* en 12 vol. (1862-1868).
L. Rivaille, *les Débuts de P. Corneille* (1936).
G. Couton, *la Vieillesse de Corneille* (1949).
L. Herland, *Corneille par lui-même* (1954).

LA COMÉDIE DU « MENTEUR »

1. La représentation

Nous sommes mal renseignés sur la date de la création du *Menteur*. On a cru longtemps la pièce de 1641. Mais *le Menteur* vient, dans l'ordre des œuvres de Corneille, après *la Mort de Pompée*, et il est impossible que cette tragédie soit si ancienne. En effet, les allusions politiques qu'elle contient en reportent la composition après la mort de Richelieu (décembre 1642). M. Antoine Adam en conclut que « *la Mort de Pompée* fut jouée vraisemblablement en janvier-mars 1643 et *Le Menteur* dans les mois suivants ». M. Georges Couton pense que, composée après la mort de Richelieu, la tragédie ne put pas être jouée avant la mort du Roi (mai 1643), ce qui reporterait *le Menteur* au début de la saison théâtrale suivante, fin 1643-début 1644. La pièce fut imprimée en 1644.

Sur la représentation, nos connaissances restent fragmentaires, mais on tire d'utiles précisions des allusions que Corneille a placées dans *la Suite du Menteur*. « On la joue au Marais sous le nom de *Menteur* », dit Dorante à un ami à la fin de la pièce (version de 1645). C'est en effet sur ce théâtre que furent créées les principales pièces de Corneille, du *Cid* à *Dom Sanche d'Aragon*. Nous ignorons le nom du créateur de Dorante : ce fut peut-être FLORIDOR, chef de la troupe et interprète des premiers rôles de Corneille depuis la retraite de Montdory, c'est-à-dire depuis *Cinna*. C'était un « honnête homme, poli, généreux, d'agréable entretien », écrit de lui Chappuzeau. De l'interprétation des rôles féminins nous ignorons tout. Le rôle de Cliton fut joué par JODELET : Julien Bedeau dit Jodelet, vieil acteur formé à la tradition des farceurs dès 1610-1620. Il joue non pas masqué mais enfariné, il utilise sa laideur naturelle et sa voix nasillarde pour provoquer le rire du public, rien qu'en se montrant : « Le ton de voix est rare aussi bien que le nez » (*La Suite...*, v. 218). Il apporte avec lui un *type* de personnage aux réactions convenues, celui du valet populaire et bavard, comique par ses saillies bouffonnes. Ce n'est pas le seul personnage de la pièce à appartenir aux types de la comédie traditionnelle puisque, de l'aveu même de Corneille, l'acteur qui interprétait Géronte jouait sous le masque.

Le succès de la pièce fut considérable. « **La suite du Menteur** » l'atteste de deux façons; d'abord parce que Corneille crut bon de rattacher cette seconde comédie, sans rapport avec *le Menteur*, au succès de la première, en donnant à son héros le nom de Dorante, à son valet celui de Cliton, et en multipliant les références à leur première série d'aventures. Ensuite parce qu'il y fait des allusions directes à la comédie du *Menteur* dans une scène dont voici le fragment le plus important (acte I, sc. 3, v. 265-307) :

CLITON. — ... Mais, Monsieur, votre nom,
Lui deviez-vous l'apprendre, et sitôt?

DORANTE. — Pourquoi non?
J'ai cru le devoir faire, et l'ai fait avec joie.

CLITON. — Il est plus décrié que la fausse monnoie.

DORANTE. — Mon nom?

CLITON. — Oui, dans Paris, en langage commun,
Dorante et le Menteur à présent ce n'est qu'un,
Et vous y possédez ce haut degré de gloire
Qu'en une comédie on a mis votre histoire.

DORANTE. — En une comédie?

CLITON. — Et si naïvement,
Que j'ai cru, la voyant, voir un enchantement.
On y voit un Dorante avec votre visage;
On le prendrait pour vous : il a votre air, votre âge,
Vos yeux, votre action, votre maigre embonpoint,
Et paraît, comme vous, adroit au dernier point.
Comme à l'événement j'ai part à la peinture :
Après votre portrait on produit ma figure.
Le héros de la farce, un certain Jodelet,
Fait marcher après vous votre digne valet;
Il a jusqu'à mon nez et jusqu'à ma parole,
Et nous avons tous deux appris en même école :
C'est l'original même, il vaut ce que je vaux;
Si quelque autre s'en mêle, on peut s'inscrire en faux;
Et tout autre que lui, dans cette comédie,
N'en fera jamais voir qu'une fausse copie.
Pour Clarice et Lucrèce, elles en ont quelque air;
Philiste avec Alcippe y vient tout accorder;
Votre feu père même est joué sous le masque.

DORANTE. — Cette pièce doit être et plaisante et fantasque.
Mais son nom?

CLITON. — Votre nom de guerre, *le Menteur*.

DORANTE. — Les vers en sont-ils bons? Fait-on cas de l'auteur?

CLITON. — La pièce a réussi quoique faible de style [1],
Et d'un nouveau proverbe elle enrichit la ville;
De sorte qu'aujourd'hui presque en tous les quartiers
On dit, quand quelqu'un ment, qu'il revient de Poitiers.
Et pour moi, c'est bien pis, je n'ose plus paraître.
Ce maraud de farceur m'a si bien fait connaître,
Que les petits enfants, sitôt qu'on m'aperçoit,
Me courent dans la rue et me montrent au doigt;
Et chacun rit de voir les courtauds de boutique,
Grossissant à l'envi leur chienne de musique,
Se rompre le gosier, dans cette belle humeur,
A crier après moi : « Le valet du Menteur! »

1. Voir p. 24, n. 4.

2. La comédie en France autour de 1640

Lorsque paraît *le Menteur* sur la scène du Marais, la comédie n'est pas en France un genre très prisé, elle ne connaît pas la fortune qu'elle aura après 1650. Les spectacles dramatiques, encore rares (deux scènes fixes, jouant trois fois par semaine), sont surtout composés de tragédies et de tragi-comédies romanesques. Il existe pourtant une tradition de spectacles comiques qui expliquent en partie l'ordonnance du *Menteur*.

— C'est d'abord un tradition de **comédie à l'italienne,** qui a imposé son décor (une place de ville où se situent les maisons des principaux personnages) et son thème : l'amour des jeunes gens, traversé par les volontés des vieillards, et servi au contraire par la ruse des valets. Mais cette comédie s'enferme dans un romanesque d'un ton particulier, celui des substitutions d'enfants, des enlèvements, des pirates, des retours miraculeux et des reconnaissances d'identité. Rotrou illustre cette veine dès 1636 (son chef-d'œuvre, *la Sœur*, est de 1647), ainsi que Cyrano de Bergerac (*le Pédant joué*, 1645). Molière s'en souviendra, notamment dans *les Fourberies de Scapin* (1671).

— Corneille lui-même a donné, avec ses premières œuvres, une série de comédies originales qui refusent les complications romanesques et se définissent par **« un réalisme modéré ».** Ce sont *Mélite, la Veuve, la Galerie du Palais, la Suivante, la Place royale* (entre 1630 et 1635).

Corneille s'y attache à faire la peinture d'un milieu très déterminé, celui des jeunes aristocrates, parmi lesquels il choisit des jeunes gens uniformément honnêtes, spirituels, sympathiques; à l'intérieur de ces limites, il peint, avec un grand sens des nuances et de la vérité humaine, les mœurs et le comportement de ses personnages. Le ton est parfois grave, souvent détendu, toujours plaisant; rarement il cherche à provoquer le rire. Enfin, Corneille situe dans ce milieu quelques individus de nature héroïque, généreuse, dont le rapport avec l'univers de ses personnages tragiques est évident. Corneille en ce domaine n'a pas fait école : à peine peut-on citer quelques pâles imitations. Mais il n'a pas oublié, en écrivant *le Menteur*, le genre auquel il doit « sa première réputation » [1].

— Autour de 1640 tend à se développer à Paris une mode qui fera bientôt fureur : celle de **la comédie imitée du théâtre espagnol.** L'initiateur de cette mode fut d'Ouville, frère de Boisrobert, qui avait vécu en Espagne et en connaissait la langue. Avec *l'Esprit follet* (1638), imité de Calderon, il ouvre

1. Voir l'*Epître*, p. 24, l. 14.

une veine où vont s'illustrer, à côté de lui, Scarron [1] (de 1645 à 1655), Thomas Corneille [2] (à partir de 1649), l'abbé de Boisrobert (entre 1650 et 1656) et plus tard Quinault.

Ces comédies « à l'espagnole » se caractérisent d'abord par une recherche de l'exotisme : les auteurs laissent aux pièces qu'ils adaptent leur allure espagnole, dans le titre, les noms des personnages et des lieux, le décor, les traits de mœurs. Ils évoquent une Espagne passionnée et sensuelle, où l'honneur est chatouilleux, où l'on tire aisément l'épée, où les belles reçoivent dans leur chambre un galant entré par le balcon. Le romanesque des thèmes et des décors, le panache des personnages donnent à ces pièces une allure très nettement romantique.

Ces pièces au reste s'appellent *comédies* parce que les auteurs traduisent le terme espagnol de *comedia;* mais ce sont souvent de véritables drames, aux situations pathétiques, où le comique vient s'ajouter comme une détente. Il est confié au valet, le *gracioso,* dont le type, très différent de celui de la tradition italienne, est celui d'un personnage lâche et gourmand, vivant d'une sagesse étroite et égoïste, dans l'ombre de son maître. Certaines pièces cependant sont de véritables comédies, soit que ce valet, par le hasard des aventures, se trouve projeté au centre de l'intrigue, soit que le modèle espagnol ait peint un personnage pittoresque et bouffon.

3. L'originalité du « Menteur »

L'entreprise de Corneille prend tout son sens si on la met en rapport avec la tradition de la comédie espagnole. Corneille en effet s'inspire de *la Verdad Sospechosa* (la Vérité suspecte), pièce d'ALARCON, qui fut d'abord attribuée à Lope de Vega. Il est de plus un des premiers à exploiter cette veine, preuve de sa curiosité et de son désir de renouvellement constamment affirmé. Preuve aussi de son discernement, car sa comédie contient tous les éléments qui font le charme du romanesque comique espagnol : un maître élégant et un valet spirituel, de jolies filles, des rencontres heureuses, des galanteries piquantes, un rendez-vous de nuit sous un balcon, un duel, des quiproquos qui créent une situation embrouillée, le tout avec un mélange de panache et de désinvolture caractéristique de la manière espagnole. Un point pourtant marque déjà son

1. Avec notamment : *Jodelet ou le Maître valet* (1645); *Dom Japhet d'Arménie* (1647); *l'Héritier ridicule* (1649). — 2. Avec notamment : *Le Feint Astrologue* (1650); *l'Amour à la mode* (1651); *le Geôlier de soi-même* (1655).

originalité : Corneille choisit comme modèle une véritable **comédie d'intrigue,** au sens français du terme, dans laquelle les éléments dramatiques sont discrets et d'où les bouffonneries sont exclues.

L'originalité de Corneille s'affirme surtout sur un autre point : la liberté qu'il prend avec le modèle espagnol, et la transposition qu'il entreprend, en habillant ses **personnages à la française.** La scène n'est plus à Madrid mais à Paris, les personnages renoncent aux noms sonores d'outre-Pyrénées pour prendre les noms pseudo-grecs de la tradition pastorale; Corneille refuse l'effet de dépaysement, et s'attache au contraire à peindre les mœurs de la jeunesse aristocratique de Paris. Il le fait avec un sens averti de la vérité morale, avec une remarquable justesse de touche, en évitant soigneusement tout effet comique de grossissement ou de stylisation; aucun personnage n'est caricaturé, chacun est **vrai** dans la situation où il se trouve. Corneille les éclaire différemment, certes : Dorante est éblouissant de verve et de fantaisie, mais il est parfois un peu fat, souvent naïf et quelquefois déplaisant; Alcippe est violent, d'une violence dont Corneille souligne l'excès non sans humour, mais il reste un jeune premier sympathique; Clarice et Lucrèce sont fines, spirituelles, enjouées, parfois légères mais aussi graves et sentimentales; toute cette jeunesse attire et provoque une sympathie que les nuances, les contradictions, les ambiguïtés rendent plus précieuse. En peignant des jeunes gens séduisants, en s'appuyant sur leur charme plus que sur le rire pour faire naître l'intérêt, Corneille retrouve l'inspiration de ses premières comédies.

Mais à ce point de rencontre de deux influences contradictoires — le romanesque à l'espagnole, le réalisme parisien de sa première veine comique — Corneille crée une pièce d'un équilibre différent. Car si l'élément romanesque existe, il est inégalement utilisé; l'intérêt porte parfois sur l'intrigue, mais plus souvent l'intrigue n'est que le lien, assez lâche, qui unit différents tableaux. Prend-on vraiment au sérieux la recherche de Dorante, son amour pour l'une ou pour l'autre des deux jeunes filles? Si Corneille a fait du *Menteur* une comédie d'intrigue, c'est avec une telle désinvolture pour tous les éléments accessoires, que l'attention se concentre sur le personnage de Dorante.

De même ses personnages n'ont ni la gravité ni le sérieux de ceux des premières comédies. Clarice, qui reprend le nom de l'héroïne de *la Veuve*, et Géronte, dans son mouvement indigné de l'acte V, atteignent à une vie dont on sent l'épaisseur et la réalité. Mais ils ne l'atteignent que partiellement, et sont au reste des personnages de second plan. Jamais, dans ses premières comédies, Corneille n'aurait consenti pareil déséquilibre entre les rôles féminins et celui de Dorante.

Car l'originalité de la pièce tient à **la personnalité du Menteur.** Depuis longtemps on a constaté que ce n'était pas un « caractère ». Et cela est vrai. Hormis ses mensonges et le plaisir qu'il prend à mentir, on ignore tout de lui, de son tempérament, de ses ambitions, des mécanismes profonds de ses mensonges. Nous ne le connaissons que de l'extérieur, et par quelques confidences à son valet, dont on peut contester parfois la sincérité et sûrement la profondeur. Dorante a donc **très peu de réalité.**

D'ordinaire on ne fait cette constation que pour critiquer Corneille. On ne s'est jamais avisé que peut-être Corneille l'avait voulu. Car donner une réalité sociale, une profondeur psychologique au personnage, c'est poser le problème moral et social du mensonge, c'est y voir un vice, une atteinte à l'honneur du gentilhomme. Or, après les reproches de Géronte à Dorante, Corneille invente un dénouement où son Menteur triomphe en abusant tout le monde et en épousant celle qu'il aime (ou qu'il dit aimer, ou qu'il croit aimer). Corneille a donc délibérément fait de Dorante un être léger, transparent, irréel, afin que tous les problèmes moraux soient esquivés.

A quel profit cet effacement? Au profit d'un **divertissement**. Tout intérêt psychologique relégué à l'arrière-plan, c'est d'abord le texte, chargé de verve savoureuse, d'invention ou de poésie, qui devient l'élément principal de la comédie. Et le théâtre d'aujourd'hui nous montre que la comédie se passe plus facilement de la profondeur des personnages que de la richesse évocatrice du texte. Ce divertissement s'ordonne autour de la personnalité de Dorante. Ce n'est pas un **menteur** au sens trivial du terme, mais l'**Inventeur,** le **Rêveur,** celui qui prête à ses amours imaginaires le décor qui leur convient, et qui, perdant le sens des limites du rêve et de la réalité, donne et joue la comédie et se la joue à lui-même, avec un souci de perfection remarquable. Dorante, inventant et jouant ses rôles, est à la fois le héros et le poète.

Il est d'abord le double du Cid ou de Polyeucte. Le héros cornélien fixe de lui-même une image héroïque à laquelle il s'efforce de ressembler. Au départ, cette image est un « mensonge », c'est-à-dire une création libre, un pari. Les circonstances rendent difficile la fidélité à ce pari, et la tension tragique du héros naît de l'effort qu'il en coûte. Dans la comédie, tous les ressorts sont détendus, du fait que l'image reste mensongère, hors du réel; mais le processus vital demeure : s'affirmer grand pour le devenir.

Double des héros tragiques de Corneille, Dorante est le double également de leur auteur inventant la bataille contre les Maures, avec la même qualité d'imagination, de rythme et de panache; mais alors que Corneille se sent séparé de sa création, Dorante s'assimile à la sienne. Mensonge? Peut-être. Illusion plutôt, monde magique où il suffit de vouloir et de paraître, pour être. Il est vrai que le réel se venge parfois en mettant Dorante en de singulières difficultés. Mais, puisqu'il fait triompher son héros, Corneille avoue ses préférences secrètes pour un monde où les prestiges de l'imagination et le plaisir de bien jouer l'emportent sur la réalité du cœur et de la société. Il l'éviterait sans doute dans une pièce sérieuse. Il le peut dans cette pièce, pleine de fantaisie et par là riche d'enseignements.

Ainsi l'originalité du *Menteur* est d'être un **contrepoint** de l'univers héroïque de Corneille; et le grand mérite de l'auteur est d'avoir créé les conditions dramaturgiques de ce contrepoint, en jetant au milieu d'une comédie romanesque et réaliste, qui n'est pleinement ni reflet ni fiction, un personnage sans cœur, sans âme, sans morale, sans consistance, avec une faculté d'imagination un peu folle, désinvolte et charmante, qui crée les reculs et les contrastes nécessaires à la naissance d'un plaisir théâtral irréductible à celui des autres comédies.

4. Analyse de « la Verdad sospechosa » (la Vérité suspecte)

La pièce d'Alarcon n'est pas simplement ce qu'on appelle d'ordinaire une source littéraire; c'est le modèle que Corneille a imité de près, parfois modifié, souvent traduit littéralement. De nos jours, *le Menteur* serait considéré non comme une pièce originale mais comme une « adaptation ».

De plus, *la Verdad sospechosa* n'est pas une pièce obscure ou médiocre; c'est, au même titre que *le Menteur*, un véritable chef-d'œuvre comique. La comparaison s'impose donc, non pour savoir qui l'emporte sur l'autre, mais parce que l'étude des traits que l'auteur français supprime, conserve ou modifie, nous permettra de mieux comprendre les intentions de Corneille, le véritable sens de sa pièce, et de mieux pénétrer les secrets de son art.

Une présentation d'ensemble de la pièce espagnole, scène par scène, est donc indispensable à l'étude des structures d'ensemble du *Menteur*. La comparaison des détails se fera à l'aide des fragments traduits en regard du texte français dans les bandeaux (pour les scènes les plus intéressantes seulement). Enfin l'*Étude du « Menteur »* (p. 123-27) regroupera quelques conclusions.

La Verdad sospechosa *est une pièce en trois actes* (jornadas), *comme toutes les pièces espagnoles du Siècle d'Or. Ces actes sont divisés en différents groupes de scènes qui se situent en des lieux divers et que, pour la commodité de l'étude, nous nommerons tableaux (ils ne sont pas notés dans le texte espagnol). La scène est en différents lieux de Madrid, et l'action s'étend sur plusieurs jours.*

Acte Premier

1 *Une salle dans la maison de Don Beltran.*

Don Beltran reçoit son fils Don Garcia qui revient de Salamanque où il a fait ses études, et le confie à son domestique Tristan (sc. 1). Resté seul avec le précepteur de Don Garcia, il lui explique comment la mort de son premier fils fait de Don Garcia l'aîné de la famille; il n'est donc plus question pour lui d'étudier mais de venir résider et de tenir son rang à Madrid. Il demande quelques confidences au précepteur sur son fils, et apprend que celui-ci « ne dit pas toujours la vérité ». Il n'a donc qu'une chose à faire : marier Don Garcia au plus vite, avant que ce défaut ne soit trop connu (sc. 2).

2 *Las Platerias* (la rue des Orfèvres). *Le lendemain.*

Don Garcia se promène avec Tristan. Il a changé de costume et porte, selon la mode, une *fraise* sur laquelle Tristan et lui-même ironisent spirituellement. Puis l'on parle des femmes. Tristan fait un séduisant et très libre tableau de la galanterie madrilène. Surviennent deux inconnues qui s'arrêtent devant une boutique. Don Garcia les aborde pendant que son valet va interroger leur cocher (sc. 3).
Ces deux femmes, Jacinta et Lucrecia, suivies d'Isabel, entrent en scène. Jacinta fait un faux pas, Don Garcia s'approche pour l'aider à se relever : la conversation s'engage. Don Garcia déclare son amour à Jacinta et se fait passer pour un riche espagnol des Indes. Suivant en cela le conseil de Tristan, il étale sa richesse et offre des bijoux, qu'on lui refuse. L'arrivée de Don Juan fait fuir les jeunes filles (sc. 4-5).
Tristan a appris du cocher que « la plus belle des deux se nomme Lucrecia, et qu'il ignore le nom de l'autre ». Garcia ne doute pas que la plus belle ne soit celle à qui il a déclaré son amour. Ainsi naît, dans l'emportement du désir, la confusion d'identité sur laquelle reposera toute la pièce (sc. 6).
Entrent Don Juan de Sosa et son ami Don Félix, préoccupé d'un concert et d'un souper donnés sur l'eau à la maîtresse de Don Juan. Don Garcia aborde ses anciens condisciples de Salamanque; il s'attribue les mérites de la fête nocturne et en donne un récit imaginaire circonstancié. Ils aperçoivent alors Jacinta en coulisse : le trouble les saisit tous deux, Don Juan de jalousie, Don Garcia d'amour. Ils rompent rapidement l'entretien, sans aucune politesse (sc. 7).
Tristan s'étonne du comportement de son maître, qui avoue que l'amour lui fait perdre la maîtrise de lui-même. Puis il l'interroge sur ses mensonges. Celui de l'Indien le fait passer pour riche, et il gagne ainsi du terrain; quant au récit du repas, il est né du plaisir de fermer la bouche à un porteur de nouvelles. Don Garcia ne supporte

pas l'infériorité que révèle l'ignorance d'un événement. Il termine par un couplet énergique où se traduit son désir d'arriver (sc. 8).

3 *Une salle dans la maison de Don Sancho (le même jour que le second tableau).*

Don Beltran vient demander à Don Sancho la main de sa nièce Jacinta pour son fils Don Garcia. Il voudrait aller vite, mais Jacinta lui oppose que « se déterminer rapidement dans une affaire de tant d'importance est manque de sagesse ou grand désir de se marier ». Elle demande à le voir d'abord sans se compromettre. Don Beltran, séduit par la sagesse de la jeune fille, s'engage à passer sous ses fenêtres, à cheval, avec son fils, le soir même (sc. 8).
Pendant que Don Sancho reconduit Don Beltran, Jacinta, restée seule avec Isabel, avoue qu'elle aime toujours Don Juan, mais leur mariage étant subordonné à l'obtention d'un titre de noblesse (l'habit de chevalier de Calatrava) qu'il n'est pas certain d'obtenir, elle ne veut pas s'obstiner dans un projet peut-être impossible. Aussi accueille-t-elle les prétendants. Au reste l'Indien de Las Platerias ne lui a pas déplu : si Don Garcia avait son esprit et sa galanterie? Quand il passera avec son père, elle ne verra que ses traits. Pour connaître son âme, il faudrait qu'il lui parle. Encouragée par sa suivante, elle imagine de demander à Lucrèce de faire venir Garcia sous son balcon (sc. 10).
Arrive Don Juan qui fait à Jacinta une violente scène de jalousie. Pour le modérer, elle invoque la présence « de son oncle dans la chambre voisine », et lui refuse tout engagement (sc. 11).

Acte II

1 *Une salle chez Don Beltran (le même jour).*

Garcia lit un billet qu'un domestique vient de lui apporter de la part de Doña Lucrecia. C'est un rendez-vous. Le domestique interrogé donne sur Lucrecia tous les renseignements voulus : elle est spirituelle et vertueuse; son père est veuf et âgé, et elle héritera d'une belle fortune. Garcia montre sa satisfaction de ce dernier point. Il accepte le rendez-vous (sc. 1). Seul avec Tristan, il commente l'aventure : il identifie Lucrecia avec l'inconnue de las Platerias, Tristan n'en est pas si sûr, mais s'en remet au rendez-vous : la voix de la belle prouvera son identité (sc. 2). Un page apporte un défi de Don Juan. A l'insu de Tristan et sans deviner la raison du défi, Don Garcia accepte (sc. 3). Don Beltran entre et annonce son intention d'aller faire une promenade à cheval avec son fils (sc. 4). Pendant que celui-ci va se préparer, Beltran apprend de Tristan que Don Garcia continue à mentir (sc. 5). Resté seul, il exhale sa tristesse, et se fortifie dans la résolution de le marier avant que « sa légèreté ne soit connue de toute la Cour et ne l'empêche de réaliser le mariage que sa qualité lui permet d'espérer » (sc. 6). Don Garcia enfin prêt, ils partent pour la promenade (sc. 7).

2 *Une salle dans la maison de Don Sancho (le même jour).*

Jacinta voit passer sous ses fenêtres Don Beltran et son fils qu'elle identifie avec le Péruvien rencontré le matin. Isabel n'a pas de peine à lui montrer que les menteries de Garcia sont des preuves d'amour. Jacinta accepte la perspective du mariage avec le fils de Don Beltran (sc. 8).

3 *La promenade d'Atocha (le même jour).*

Don Beltran, sur un ton grave, expose à Don Garcia que la naissance ne suffit pas à faire un gentilhomme, et lui adresse de véhéments reproches sur son habitude de mentir. Il espère que cette réprimande suffira et, pour l'adoucir par une bonne nouvelle, il annonce à son fils qu'il veut le marier à Jacinta, nièce de son ami Don Sancho Pacheco.
Don Garcia, qui ne songe qu'à celle qu'il appelle Lucrecia, oppose au projet de son père un mariage qu'il feint d'avoir contracté à Salamanque. Don Beltran, convaincu, part rendre sa parole à l'oncle de Jacinta (sc. 9).
Resté seul, Don Garcia traduit son contentement en un monologue qui peint sa physionomie ambitieuse, orgueilleuse et sans délicatesse. Puis il part rejoindre Don Juan au lieu de l'assignation.

4 *A San Blasco (le même jour).*

Don Garcia se présente à l'assignation de Don Juan. Don Juan lui explique la raison de son appel : la dame, à qui Don Garcia a donné une fête est celle qu'il doit épouser. Don Garcia répond, par un nouveau mensonge, que c'est impossible, car celle qu'il a régalée est mariée. Don Juan se déclare satisfait de l'explication, mais Don Garcia exige, puisqu'il a été provoqué, que le duel ait lieu. Ils dégainent et se battent (sc. 11).
Don Félix les sépare et finit par les accommoder. Don Garcia quitte le terrain après quelques mots pleins d'insolence (sc. 12). Resté seul avec Don Juan, Don Felix lui apporte deux nouvelles : la première est que Jacinta n'était pas la dame à qui l'on a donné la fête; la seconde que Garcia, venu la veille de Salamanque, n'est pas celui qui l'a donnée. Don Juan décide d'aller faire des excuses à Jacinta et de se méfier à l'avenir des propos de Don Garcia (sc. 13).

5 *A la Vitoria. Une rue. Il fait nuit (le soir du même jour).*

Le domestique Camino conduit Don Garcia, accompagné de Tristan, au rendez-vous fixé par Lucrecia. En chemin, Don Garcia explique à Tristan qu'il continuera le « roman » de son faux mariage, en interceptant les lettres de son père et en y répondant lui-même (sc. 14). Lucrecia, Jacinta et Isabel sont au balcon; Jacinta apprend à son amie que le fils de Don Beltran est le faux Indien, qu'il a inventé l'histoire du banquet (elle le sait de Don Juan), et qu'il est marié (elle le tient de Don Beltran, qui est venu reprendre sa parole). En voyant venir les trois hommes, elles envoient Isabel surveiller les vieillards (sc. 15).Du balcon, Jacinta s'adresse à Don Garcia comme si elle était Lucrecia : pour lui, la confusion continue entre la voix de celle qu'il aime et le nom de sa compagne. Il va donc sincèrement dire la vérité — qu'il aime Lucrecia, qu'il n'est pas marié, que c'est un mensonge inventé pour lui rester fidèle. Mais cette déclaration ne peut convenir à Jacinta qui, sachant qu'il lui a parlé d'amour le matin même, refuse de lui accorder crédit. Lucrecia au contraire, qui se tait dans le fond du balcon, en est visiblement troublée. Les femmes se retirent, et Tristan, resté seul avec son maître, dégage en quelques mots la leçon de l'intrigue (sc. 16).

ACTE III

1 *Une salle dans la maison de Lucrecia (trois jours se sont passés).*

Lucrecia est prête d'aimer Don Garcia. Ébranlée par la constance avec laquelle il lui fait la cour (Camino lui en rapporte de nombreux signes : il rôde nuit et jour autour de la maison, il donne de l'argent à Camino), mais rendue hésitante par la peur de se laisser duper par un menteur, elle demande à Camino de laisser entendre à Don Garcia qu'elle n'est pas indifférente, et qu'elle sera à l'église de la Magdalena, à l'octave, ce soir-là (sc. 1).

2 *Une salle dans la maison de don Beltran (le même jour).*

Don Beltran a écrit au beau-père de son fils pour lui demander de laisser sa fille venir à Madrid. Don Garcia lui objecte la grossesse de celle-ci, qu'il vient d'apprendre. Obligé de refaire sa lettre, Don Beltran demande à Garcia le nom de son beau-père. Celui-ci s'embrouille, en donne un, alors que Don Beltran se souvient d'un autre, et se rattrape en invoquant une coutume courante en Espagne, et que Don Beltran accepte comme explication. Il se retire (sc. 2).
Tristan donne à Garcia des nouvelles de son amour : Lucrecia a lu son billet, bien qu'elle ait recommandé à Camino de dire qu'elle l'avait déchiré; Camino est gagné à Don Garcia, Lucrecia lui a dit d'indiquer le rendez-vous de la Magdalena comme une indiscrétion venant de lui. Ces indiscrétions redonnent courage à Don Garcia (sc. 3).

3 *Le cloître du couvent de la Magdelena, avec une porte communiquant avec l'église (le soir même).*

Jacinta et Lucrecia, vêtues de leurs mantes, parlent de Don Garcia, et Lucrecia, bien qu'elle n'avoue que de la curiosité, a bien de la peine à cacher à sa compagne son amour naissant. Elle ouvre, pour la lire à Jacinta, la lettre reçue de Garcia (sc. 4).
Par un autre côté entrent Don Garcia et Tristan, conduits par Camino qui leur désigne Lucrecia comme la personne qui tient une lettre. Pour voir cette lettre, Garcia disparaît par une porte, rentre par une autre, et se glisse derrière les femmes sans qu'elles le voient. Mais Lucrecia, par peur de lire à haute voix, avait donné la lettre à lire à Jacinta (sc. 5).
Ainsi se renouvelle pour Garcia, quand il reparaît, la confusion entre la personne de Jacinta et le nom de Lucrecia, et rien ne peut l'éclairer car les femmes ont le visage dissimulé par un voile. Il croit que c'est Lucrecia qui relit sa lettre, et, sûr d'être aimé, il lui déclare son amour. Il se joue alors, entre les trois personnages, un jeu subtil de sentiments et de réactions qui porte à son sommet l'art de l'imbroglio dans *la Verdad sospechosa*, car chacune des deux filles, mise en méfiance de l'autre, joue pour elle-même. Et quand Garcia nous procure la clé de l'imbroglio, en donnant du « Lucrecia » à Jacinta, chaque personnage est tellement pris dans un tissu de fausses apparences, qu'il invente pour lui une explication aberrante, d'où rebondit le quiproquo (sc. 6).

Après le départ des femmes, Garcia vante avec Tristan la finesse de celle qu'il croit toujours être Lucrecia. Et Tristan lui conseille tout naturellement de la demander en mariage. Il faut à Garcia un témoin de sa sincérité. Tristan lui propose Don Juan de Sosa. Garcia raconte comment il a tué Don Juan en duel (sc. 7).
C'est alors que Don Juan paraît dans le fond du cloître, s'entretenant avec Don Beltran. Don Garcia explique à Tristan la possibilité de cette guérison miraculeuse. Don Juan apprend à Don Beltran que personne à Salamanque ne porte le nom de la femme de Garcia, et sort (sc. 8). Don Beltran, qui devine alors que son fils lui a menti une fois encore, l'apostrophe sévèrement. Don Garcia s'excuse en invoquant l'amour qu'il éprouve pour Lucrecia, et obtient de son père qu'il aille demander sa main (sc. 9).

4 *Une salle donnant sur un jardin chez Don Juan de Luna.*

Don Juan de Luna, père de Lucrecia, et Don Sancho, oncle de Jacinta, s'entretiennent du soir qui descend et décident de dîner dans le jardin (sc. 10).
Un valet annonce Don Juan de Sosa (sc. 11) qui s'adresse à Don Sancho, lui annonce qu'il a sa Commanderie, et obtient de lui la main de Jacinta. Sancho sort pour prévenir sa fille (sc. 12).
Entre Don Beltran avec Don Garcia. Beltran demande pour son fils et obtient la main de Lucrecia (sc. 13). Les deux femmes entrent alors, ainsi que Don Sancho. Lucrecia est mise au courant, en aparté, par Don Juan de Luna, de son mariage avec Don Garcia. On invite alors les deux jeunes gens à s'avancer vers leurs fiancées respectives : tous deux naturellement se précipitent vers Jacinta. Garcia est alors éclairé. Il a beau affirmer qu'il n'aime que Jacinta, même s'il s'est trompé de nom, Jacinta donne la main à celui qu'elle aime, Don Juan de Sosa, et Garcia, engagé d'honneur avec la famille de Luna, épouse par la contrainte Lucrecia, qu'il n'aime pas. Telle est la brutale punition (sc. 14) de celui qu'on ne croit plus, car dans la bouche d'un menteur « la vérité est suspecte ».

La jeunesse peinte dans le Menteur *(voir p. 10).*
Gentilhomme dégainant son épée,
gravure d'Abraham Bosse (1602-1676), d'après J. de Saint-Igny,
le Jardin de la noblesse française.

SCHÉMA DU « MENTEUR »

ACTE I, sc. 1 *Aux Tuileries.*	Dorante, nouvellement arrivé à Paris, demande conseil à son valet Cliton sur la manière de mener une galanterie dans la capitale.
2	Rencontrant deux jeunes filles, Clarice et Lucrèce, il courtise aussitôt l'une d'elles (Clarice), pendant que Cliton va chercher des renseignements.
3	Son retour n'interrompt pas Dorante qui s'invente un passé militaire glorieux et un amour déjà ancien.
4	Les jeunes filles fuyant la jalousie d'Alcippe, Cliton apprend à son maître que la plus belle s'appelle Lucrèce. Dorante estime que c'est celle à qui il a parlé.
5	Entrent Alcippe et Philiste, vieux amis de Dorante, préoccupés d'une collation donnée à la maîtresse d'Alcippe. Dorante s'attribue le mérite de cette collation et en donne une description.
6	Resté seul avec Cliton, il commente ses deux mensonges et accepte de se lancer dans l'aventure.
ACTE II, sc. 1 *A la Place Royale.*	Géronte demande à Clarice sa main pour son fils Dorante et promet de passer devant la maison avec lui, afin qu'elle le voie.
2	Clarice, seule avec Isabelle, fait le point de ses sentiments. Pour mieux connaître Dorante, elle demandera à Lucrèce de lui donner un rendez-vous sous son balcon, où elle, Clarice, le recevra sous le nom de son amie.
3	Arrive Alcippe qui lui reproche la collation de Dorante. Clarice se moque de lui.
4	Alcippe, seul, décide de provoquer Dorante.
5	Géronte revient avec Dorante, et lui annonce sa volonté de le marier avec Clarice. Celui-ci, qui ne pense qu'à celle qu'il appelle Lucrèce (c'est en fait cette même Clarice), s'invente un faux mariage.
6	Dorante désabuse Cliton qui en avait cru le récit.
7	Sabine apporte un billet de Lucrèce. Le nom de celle qui le convie continue d'abuser Dorante. Cliton part se renseigner sur elle.
8	Lycas apporte un billet, provocation en duel d'Alcippe. Dorante accepte la rencontre.
ACTE III, sc. 1	Philiste entre, avec Dorante et Alcippe, qu'il a séparés.
2	Resté seul avec Alcippe, il lui apprend les mensonges de Dorante. Alcippe fera sa paix avec Clarice.
3	Clarice de son côté, allant chez Lucrèce, commente avec Isabelle les mensonges de Dorante et l'annonce de son mariage : elle se détache de Dorante.

4 Dorante arrive au rendez-vous.
5 Clarice, sous le nom de Lucrèce, parle à Dorante, lui reproche sa fourberie et se moque de lui. Lucrèce au contraire semble émue par la sincérité avec laquelle Dorante proteste de son amour.
6 Dorante refuse de se laisser décourager. Il trouvera un moyen de convaincre « Lucrèce ».

ACTE IV, sc. I Dorante est revenu sous les fenêtres de Lucrèce, prêt à acheter sa femme de chambre. Il raconte à Cliton comment il a tué Alcippe en duel.
2 Survient Alcippe, heureux d'annoncer à Dorante que son mariage avec Clarice est enfin possible.
3 Dorante explique comme il peut cette résurrection.
4 Géronte écrit au beau-père de Dorante pour lui demander de lui envoyer sa fille. Dorante a oublié le nom de son beau-père : chaude alerte dont il se tire *in extremis*.
5 Avertissements de Cliton à son maître.
6 Survient Sabine. Dorante lui donne de l'argent, un billet pour Lucrèce, et sort.
7 Cliton obtient l'aveu que Lucrèce aime Dorante.
8 Sabine remet à Lucrèce le billet de Dorante et obtient la liberté de dire qu'il n'a pas déplu.
9 Clarice met Lucrèce en garde contre la fourberie de Dorante.

ACTE V, sc. I Géronte apprend de Philiste que son fils est un menteur.
2 Resté seul, il exhale son indignation,
3 et réprimande sévèrement son fils. Celui-ci se justifie en invoquant son amour pour Lucrèce (il continue à nommer ainsi Clarice) et obtient de son père qu'il aille demander sa main.
4 Dorante avoue à Cliton qu'il n'est pas insensible au charme de la compagne de celle qu'il courtise (la véritable Lucrèce).
5 Sabine apporte à Dorante des nouvelles de son billet : Lucrèce l'a lu avec plaisir,
6 Dorante courtise Clarice, la prenant pour Lucrèce; mais, détrompé tout à coup, il affirme qu'il l'a fait pour se venger d'elle et de sa ruse, et déclare n'avoir jamais aimé que Lucrèce (la vraie).
7 Géronte et Alcippe apportent l'accord des pères des deux jeunes filles : Dorante épouse Lucrèce et Alcippe Clarice.

La jeunesse peinte dans le Menteur *(voir p. 10).*
Gentilhomme saluant (peut-être Callot lui-même),
par Jacques Callot (1592-1635).

ÉPÎTRE [1]

MONSIEUR,

Je vous présente une pièce de théâtre d'un style si éloigné de ma dernière [2], *qu'on aura de la peine à croire qu'elles soient parties toutes deux de la même main, dans le même hiver. Aussi les raisons qui m'ont obligé à y travailler ont été bien différentes. J'ai fait* Pompée *pour satisfaire à ceux qui ne trouvaient pas les vers de* Polyeucte *si puissants que ceux de* Cinna, *et leur montrer que j'en saurais bien retrouver la pompe, quand le sujet le pourrait souffrir; j'ai fait* le Menteur *pour contenter les souhaits de beaucoup d'autres qui, suivant l'humeur des Français, aiment le changement et, après tant de poèmes graves dont nos meilleures plumes ont enrichi la scène, m'ont demandé quelque chose de plus enjoué qui ne servît qu'à les divertir. Dans le premier, j'ai voulu faire un essai de ce que pouvait la majesté du raisonnement, et la force des vers dénués de l'agrément du sujet; dans celui-ci, j'ai voulu tenter ce que pourrait l'agrément du sujet, dénué de la force des vers. Et d'ailleurs, étant obligé au genre comique de ma première réputation* [3], *je ne pouvais l'abandonner tout à fait sans quelque espèce d'ingratitude. Il est vrai que comme alors que je me hasardai à le quitter, je n'osai me fier à mes seules forces, et que pour m'élever à la dignité du tragique, je pris l'appui du grand Sénèque, à qui j'empruntai tout ce qu'il avait donné de rare à sa* Médée *: ainsi, quand je me suis résolu de repasser du héroïque au naïf* [4], *je n'ai osé descendre de si haut sans m'assurer d'un guide, et me suis laissé conduire au fameux Lope de Vega* [5], *de peur de m'égarer dans les détours de tant d'intriques* [6] *que fait notre Menteur. En un mot, ce n'est ici qu'une copie d'un excellent original qu'il a mis au jour sous le titre de* la Verdad sospechosa; *et me fiant sur notre Horace, qui donne liberté de tout oser aux poètes ainsi qu'aux peintres, j'ai cru que, nonobstant la guerre des deux couronnes* [7], *il m'était permis de trafiquer en Espagne. Si cette sorte de commerce était un crime, il y a longtemps que je serais coupable, je ne dis pas seulement pour le* Cid, *où je me suis aidé de don Guillen de Castro, mais aussi pour* Médée, *dont je viens de parler, et pour* Pompée *même, où, pensant me fortifier du secours de deux Latins, j'ai pris celui de deux Espagnols, Sénèque et Lucain étant tous deux de Cordoue. Ceux qui ne voudront pas me pardonner cette intelligence avec nos ennemis, approuveront du moins que je pille chez eux; et soit qu'on fasse passer ceci pour un larcin ou pour un emprunt, je m'en suis trouvé si bien que je n'ai pas envie que ce soit le dernier que je ferai chez eux. Je crois que vous en serez d'avis et ne m'en estimerez pas moins.*

Je suis,

MONSIEUR,

votre très humble serviteur,

CORNEILLE

---

1. On ne connait pas le destinataire de cette épître, placée en tête de l'édition originale et réimprimée dans les éditions antérieures à 1660. — 2. *La Mort de Pompée.* — 3. Corneille a connu le succès avec ses premières comédies, notamment avec *la Veuve.* — 4. De l'héroïque au naturel. Pour Corneille, il existe deux styles dramatiques, l'un fort, pompeux, tendu, l'autre faible et *naïf*, c'est-à-dire simple et naturel. C'est ainsi qu'il faut entendre le vers fameux de *la Suite* (voir p. 9) : *La pièce a réussi quoique faible de style.* — 5. Corneille a lu *la Verdad sospechosa* dans un recueil d'œuvres de Lope, et crut longtemps l'œuvre de lui : voir l'*Examen*, p. 122. — 6. Intrigues. —7. La lutte d'influence entre l'Espagne et la France aboutit à un conflit ouvert en 1636. Le front principal en était situé à la frontière des Pays-Bas : défaite de la Marfée, 1641; victoire de Rocroi, 1643. Les hostilités ne prendront fin qu'en 1659, avec le traité des Pyrénées.

AU LECTEUR [1]

1 Bien que cette comédie et celle qui la suit soient toutes deux de l'invention de Lope de Vega [2], je ne vous les donne point dans le même ordre que je vous ai donné *le Cid* et *Pompée*, dont en l'un vous avez lu les vers espagnols [3] et en l'autre les latins, que j'ai traduits ou imités de Guillen de Castro et
5 de Lucain. Ce n'est pas que je n'aie ici emprunté beaucoup de choses de cet admirable original; mais comme j'ai entièrement dépaysé les sujets pour les habiller à la française, vous trouveriez si peu de rapport entre l'espagnol et le français qu'au lieu de satisfaction vous n'en recevriez que de l'importunité.
10 Par exemple, tout ce que je fais conter à notre Menteur des guerres d'Allemagne, où il se vante d'avoir été, l'Espagnol le lui fait dire du Pérou, des Indes, dont il fait le nouveau revenu; et ainsi de la plupart des autres incidents, qui, bien qu'ils soient imités de l'original, n'ont presque point de ressemblance avec lui pour les pensées ni pour les termes qui les expriment. Je me conten-
15 terai donc de vous avouer que les sujets sont entièrement de lui, comme vous les trouverez dans la vingt et deuxième partie de ses comédies. Pour le reste, j'en ai pris tout ce qui s'est pu accommoder à notre usage; et s'il m'est permis de dire mon sentiment touchant une chose où j'ai si peu de part, je vous avouerai en même temps que l'invention de celle-ci me charme
20 tellement que je ne trouve rien à mon gré qui lui soit comparable en ce genre, ni parmi les anciens, ni parmi les modernes. Elle est toute spirituelle depuis le commencement jusqu'à la fin, et les incidents si justes et si gracieux qu'il faut être, à mon avis, de bien mauvaise humeur pour n'en approuver pas la conduite et n'en aimer pas la représentation.
25 Je me défierais peut-être de l'estime extraordinaire que j'ai pour ce poème, si je n'y étais confirmé par celle qu'en a faite un des premiers hommes de ce siècle, et qui non seulement est le protecteur des savantes muses dans la Hollande, mais fait voir encore par son propre exemple que les grâces de la poésie ne sont pas incompatibles avec les plus hauts emplois de la politique
30 et les plus nobles fonctions d'un homme d'État. Je parle de M. de Zuylichem [4], secrétaire des commandements de Monseigneur le prince d'Orange. C'est lui que MM. Heinsius et Balzac ont pris comme pour arbitre [5] de leur fameuse querelle [6], puisqu'ils lui ont adressé l'un et l'autre leurs doctes dissertations, et qui n'a pas dédaigné de montrer au public l'état qu'il fait de cette comédie
35 par deux épigrammes, l'un français et l'autre latin, qu'il a mis au-devant de l'impression qu'en ont faite les Elzévirs, à Leyden [7]. Je vous les donne ici d'autant plus volontiers que, n'ayant pas l'honneur d'être connu de lui, son témoignage ne peut être suspect, et qu'on n'aura pas lieu de m'accuser de beaucoup de vanité pour en avoir fait parade, puisque toute la gloire
40 qu'il m'y donne doit être attribuée au grand Lope de Vega, que peut-être il ne connaissait pas pour le premier auteur de cette merveille de théâtre.

---

1. Avis figurant dans les éditions de 1648, 1652 et 1655. — 2. Voir p. 24, n. 5. — 3. C'était l'usage, en effet, de reproduire en bas de page les vers originaux dont étaient imitées les formules les plus marquantes du poème français. Corneille s'affranchit de cet usage pour l'édition du *Menteur*. — 4. Constantin Huyghens, père du célèbre astronome, homme de lettres et théoricien célèbre en son temps; Corneille lui adressera la dédicace de *Dom Sanche d'Aragon*, texte important pour les problèmes techniques qu'il aborde. — 5. Pris pour arbitre. — 6. Elle avait pour objet une tragédie d'Heinsius dont Guez de Balzac contesta les mérites, et fut l'origine de longues contestations. — 7. Dans une édition de 1645. Ces épigrammes n'offrent que peu d'intérêt.

LE MENTEUR

ACTE PREMIER

SCÈNE PREMIÈRE. — DORANTE, CLITON.

DORANTE. — A la fin j'ai quitté la robe pour l'épée [1] :
L'attente où j'ai vécu n'a point été trompée;
Mon père a consenti que je suive mon choix,
Et j'ai fait banqueroute [2] à ce fatras de lois.
5 Mais puisque nous voici dedans les Tuileries,
Le pays du beau monde et des galanteries,
Dis-moi, me trouves-tu bien fait en cavalier [3] ?
Ne vois-tu rien en moi qui sente l'écolier ?
Comme il est malaisé qu'aux royaumes du *Code*
10 On apprenne à se faire un visage à la mode,
J'ai lieu d'appréhender...

CLITON. — Ne craignez rien pour vous :
Vous ferez en une heure ici mille jaloux.
Ce visage et ce port n'ont point l'air de l'école,
Et jamais comme vous on ne peignit Bartole [4] :
15 Je prévois du malheur pour beaucoup de maris.
Mais que vous semble encor maintenant de Paris ?

DORANTE. — J'en trouve l'air bien doux, et cette loi bien rude
Qui m'en avait banni sous prétexte d'étude.
Toi qui sais les moyens de s'y bien divertir,
20 Ayant eu le bonheur de n'en jamais sortir [5],
Dis-moi comme [6] en ce lieu l'on gouverne les dames.

CLITON. — C'est là le plus beau soin qui vienne aux belles âmes,
Disent les beaux esprits. Mais sans faire le fin,
Vous avez l'appétit ouvert de bon matin :
25 D'hier [7] au soir seulement vous êtes dans la ville,
Et vous vous ennuyez déjà d'être inutile !

---

1. *La robe*, tenue de l'étudiant en droit qu'il était à Poitiers, *pour l'épée*, signe distinctif des gens de guerre; vocation conforme à sa qualité de fils unique d'une famille de gentilshommes. — 2. Abandonné, renoncé à. — 3. Gentilhomme vêtu en homme de guerre. Le mot est à la mode; de plus, l'habit prépare le mensonge. — 4. Jurisconsulte italien du XIVe s., dont les méthodes remplacèrent celles d'Accurse et prévalurent jusqu'à Cujas (voir la note du v. 328). Son nom était le symbole de tout savant commentateur du droit romain. — 5. Ceci explique, brièvement, que Cliton ignore tout de Dorante et de sa manie d'improviser des mensonges. — 6. Comment. — 7. *Hier* : la quantité de ce mot varie au XVIIe s.; Corneille en fait toujours un monosyllabe.

Votre humeur sans emploi ne peut passer un jour,
Et déjà vous cherchez à pratiquer l'amour!
Je suis auprès de vous en fort bonne posture
30 De passer pour un homme à donner tablature [1];
J'ai la taille d'un maître en ce noble métier,
Et je suis, tout au moins, l'intendant [2] du quartier.

DORANTE. — Ne t'effarouche point : je ne cherche, à vrai dire,
Que quelque connaissance où [3] l'on se plaise à rire,
35 Qu'on puisse visiter par divertissement,
Où [3] l'on puisse en douceur couler [4] quelque moment.
Pour me connaître mal, tu prends mon sens à gauche [5].

CLITON. — J'entends, vous n'êtes pas un homme de débauche,
Et tenez celles-là trop indignes de vous
40 Que le son d'un écu rend traitables à tous.
Aussi que vous cherchiez de ces sages coquettes
Où [3] peuvent tous venants débiter leur fleurettes,
Mais qui ne font l'amour que de babil et d'yeux [6],
Vous êtes d'encolure à vouloir un peu mieux.
45 Loin de passer son temps, chacun le perd chez elles,
Et le jeu, comme on dit, n'en vaut pas les chandelles.
Mais ce serait pour vous un bonheur sans égal
Que ces femmes de bien qui se gouvernent mal,
Et de qui la vertu, quand on leur fait service [7],
50 N'est pas incompatible avec un peu de vice.
Vous en verrez ici de toutes les façons.
Ne me demandez point cependant de leçons :
Ou je me connais mal à voir votre visage,
Ou vous n'en êtes pas à votre apprentissage;
55 Vos lois ne réglaient pas si bien tous vos desseins
Que vous eussiez toujours un portefeuille [8] aux mains.

DORANTE. — A ne rien déguiser, Cliton, je te confesse
Qu'à Poitiers j'ai vécu comme vit la jeunesse;
J'étais en ces lieux-là de beaucoup de métiers;
60 Mais Paris, après tout, est bien loin de Poitiers.
Le climat différent veut une autre méthode;

---

1. A enseigner cette pratique difficile. — 2. Cliton ironise et emploie un mot honnête pour la fonction moins avouable qu'il feint de croire que Dorante voudrait lui faire jouer. — 3. Chez qui. — 4. Passer agréablement. — 5. De travers. — 6. Variante (1644) :

Qui bornent au babil leurs faveurs plus secrètes,
Sans qu'il vous soit permis de jouer que des yeux.

Ce texte était plus clair, mais les archaïsmes qu'il contient ont entraîné la correction. — 7. *Quand on* se déclare leur serviteur (quand on leur fait la cour). — 8. *Un porte*-documents.

Ce qu'on admire ailleurs est ici hors de mode [1] :
La diverse façon de parler et d'agir
Donne aux nouveaux venus souvent de quoi rougir.
65 Chez les provinciaux on prend ce qu'on rencontre;
Et là, faute de mieux, un sot passe à la montre [2].
Mais il faut à Paris bien d'autres qualités :
On ne s'éblouit point de ces fausses clartés;
Et tant d'honnêtes gens, que l'on y voit ensemble,
70 Font qu'on est mal reçu, si l'on ne leur ressemble.

---

1. Variante (1644) :

J'en voyais là beaucoup passer pour gens d'esprit,
Et faire encore état de Chimène et du Cid,
Estimer de tous deux la vertu sans seconde,
Qui passeraient ici pour gens de l'autre monde,
Et se feraient siffler, si dans un entretien
Ils étaient si grossiers que d'en dire du bien.

Corneille aimait se citer lui-même. Il l'avait déjà fait dans ses premières comédies (notamment de *la Suivante* à *la Place Royale*), et il généralisera le procédé dans *la Suite du Menteur*. Est-ce par une exigence plus classique qu'il renonce à cette coquetterie en 1660? Comme il est alors obligé de couper six vers, l'alternance des rimes lui impose d'en écrire deux nouveaux : les vers 63-64 du texte. — 2. Est accepté comme bon.

● **Le décor** — Le premier acte se déroule au **jardin des Tuileries**. Ce jardin n'est pas encore la grande perspective que dessinera Lenôtre. C'est le jardin de la reine Catherine, séparé du château par un mur et une ruelle qui mène à la Seine, et limité à l'ouest par les bastions de l'enceinte dite de Louis XIII.

Six allées en longueur et huit en largeur délimitaient des compartiments rectangulaires renfermant des plantations différentes : massifs d'arbres, quinconces, pelouses de gazon, parterres de fleurs et un labyrinthe, fouillis géométrique de cyprès. Il comportait de plus une fontaine, une ménagerie et une grotte ornée de poteries émaillées, œuvre de Bernard Palissy (J. Hillairet, *Connaissance du vieux Paris*, p. 147).

C'était, depuis une dizaine d'années, le rendez-vous à la mode des gens du beau monde et de la galanterie. A lui seul, il situe socialement les personnages parmi la jeunesse aristocratique et dorée de l'époque, en même temps qu'il correspond au besoin de plaire au public par un décor connu (cf. chez Corneille, *la Place Royale* et *la Galerie du Palais*).

● **Comparaison avec l'Espagnol** (voir *Analyse de « la Verdad sospechosa »* p. 15). Corneille supprime le premier tableau, sans doute pour faire entrer la comédie dans le cadre des unités. Ce faisant, il supprime un certain nombre de précisions, notamment :
— La justification du changement de vie de Dorante. Don Garcia est appelé par son père pour remplacer auprès de lui un fils aîné qu'il vient de perdre. Dorante, au contraire, change de vie et de métier sans qu'on sache pourquoi. Ce que la pièce perd en clarté, le personnage le gagne en indépendance.
— Alarcon nous informe, dès la sc. 2, de ce qu'est Don Garcia : un homme de peu de parole; la pièce prend, de ce fait, une orientation morale très précise. Nous ignorons tout, au contraire, des habitudes de Dorante jusqu'au moment où il mentira devant nous.
① Que gagne Corneille à cette importante modification?

CLITON. — Connaissez mieux Paris, puisque vous en parlez.
Paris est un grand lieu plein de marchands mêlés [1];
L'effet [2] n'y répond pas toujours à l'apparence :
On s'y laisse duper autant qu'en lieu de France;
75 Et parmi tant d'esprits plus polis et meilleurs,
Il y croît des badauds autant et plus qu'ailleurs.
Dans la confusion que ce grand monde apporte,
Il y vient de tous lieux des gens de toute sorte;
Et dans toute la France il est fort peu d'endroits
80 Dont il n'ait le rebut aussi bien que le choix.
Comme on s'y connaît mal, chacun s'y fait de mise [3],
Et vaut communément autant comme [4] il se prise :
De bien pires que vous s'y font assez valoir.
Mais pour venir au point que vous voulez savoir,
85 Êtes-vous libéral?

DORANTE. — Je ne suis point avare.

CLITON. — C'est un secret d'amour et bien grand et bien rare;
Mais il faut de l'adresse à le bien débiter.
Autrement on s'y perd au lieu d'en profiter.
Tel donne à pleines mains qui n'oblige personne :
90 La façon de donner vaut mieux que ce qu'on donne.
L'un perd exprès au jeu son présent déguisé;
L'autre oublie un bijou qu'on aurait refusé.
Un lourdaud libéral auprès d'une maîtresse
Semble donner l'aumône alors qu'il fait largesse;
95 Et d'un tel contretemps il fait tout ce qu'il fait,
Que, quand il tâche à plaire, il offense en effet.

DORANTE. — Laissons là ces lourdauds contre qui tu déclames,
Et me dis seulement si tu connais ces dames [5].

CLITON. — Non : cette marchandise est de trop bon aloi;
100 Ce n'est point là gibier à des gens comme moi;
Il est aisé pourtant d'en savoir des nouvelles,
Et bientôt leur cocher [6] m'en dira des plus belles

DORANTE. — Penses-tu qu'il t'en die [7]?

CLITON. — Assez pour en mourir :
Puisque c'est un cocher, il aime à discourir.

---

1. Expression proverbiale, « se dit d'une personne chez qui il y a du bon et du mauvais » (Littré). — 2. La réalité. — 3. *S'y fait* valoir. — 4. *Autant* que. — 5. Il voit venir Clarice et Lucrèce. — 6. *Leur cocher* qui les attend à la porte du jardin. Les cochers français ont-ils jamais eu la réputation d'être bavards? Le détail est traduit d'Alarcon, comme la plaisanterie du v. 104. — 7. Dise; subjonctif ancien.

● **« La Verdad sospechosa » (I, 3)** — La conversation entre Don Garcia et Tristan porte naturellement sur l'amour madrilène. Tristan improvise un couplet dans le goût espagnol, où il mêle la satire directe à une longue métaphore filée, tirée des astres :

TRISTAN. — Sur le sol de Madrid resplendissent les dames de beauté, comme au ciel brillent les étoiles : elles diffèrent par leur degré dans le vice et la vertu et par leur condition, comme varient l'influx, l'éclat et la grandeur des astres. Je n'ai pas l'intention de ranger les *señoras* dans ce nombre : même l'imagination n'oserait s'en prendre à ces natures angéliques. Je te parlerai seulement de celles qui, dans la légèreté de leur âme, sont femmes, bien que divines, et, bien qu'étoiles, sont corruptibles. Tu verras de belles mariées, traitables et discrètes, ce sont si tu veux des planètes, parce qu'elles brillent davantage. En conjonction avec des époux de bonne humeur, elles exercent sur les étrangers un influx qui sait les rendre généreux. Il y en a d'autres dont les maris partent en mission, que leurs occupations retiennent aux Indes ou en Italie. Et puis, elles ne disent pas toutes la vérité : mille rusées s'inventent un mari pour vivre en toute liberté. Tu verras les filles de prudentes passantes, belles aux visages nouveaux, étoiles fixes de mères satellites. Il existe aussi une foule de dames de la Toison qui sont astres de première grandeur parmi les courtisanes. D'autres les suivent qui voudraient leur ressembler : elles sont sans doute de moindre clarté, mais dans la nécessité, tu pourras bien te contenter de leur éclat. Elles valent mieux que la professionnelle. Celle-là, je ne la compte pas parmi les étoiles, c'est une comète, sa lumière est imparfaite, et elle n'a pas de place fixe. Au matin, elle apparaît, faisant la chasse à l'argent et, son but atteint, tout à coup, elle disparaît...

Ce couplet est le type de ce que Corneille refuse d'imiter. Les bienséances s'opposent à un réalisme aussi libre; et le goût de Corneille l'éloigne de cette forme d'esprit.

① Essayez de définir, par opposition, l'esprit du comique de Corneille.

● **L'exposition** — Corneille jette sur la scène son personnage principal, pour le révéler par une conversation avant de l'engager dans l'action. Molière procédera souvent ainsi (notamment dans *l'École des femmes* et *le Misanthrope*).

DORANTE n'est pas présenté comme le Menteur. Corneille donne sans doute au public les éléments nécessaires pour qu'il devine les menteries de Dorante quand il en fera. Mais cet exposé se réduit à peu d'éléments : il est arrivé la veille de Poitiers (v. 25) où il a fait des études de droit (v. 1-4); il s'apprête à embrasser la carrière militaire et a, pour cette raison, déjà revêtu la tenue d'un cavalier (v. 7). Il est, en attendant, oisif, libre de tout attachement, et prêt à saisir la moindre occasion d'amorcer une galanterie. C'est un jeune homme séduisant et sympathique, que la conscience de son charme rend un peu fat. Pourtant, cette fatuité légère n'est que la marque de la jeunesse. Elle nuance, sans l'entacher, la séduction qu'il exerce.

CLITON, en face de lui, n'est pas le valet caractéristique de la comédie italienne. C'est un homme beaucoup plus âgé que Dorante (Jodelet créa le rôle, il devait avoir cinquante ans; cf. v. 855 et *la Suite du Menteur*) et qui se croit autant conseiller que domestique : il initie son nouveau maître à la vie parisienne qu'il connaît bien (v. 19).

● **L'amour à la mode** — Cliton l'évoque en termes pittoresques, et singulièrement réalistes. S'il écarte la débauche et les courtisanes, il n'imagine pas cependant que son maître puisse se contenter d'une cour innocente (v. 50), et il sait ajouter un conseil pratique sur le rôle de l'argent (v. 85). La liberté des mœurs n'est peut-être ici évoquée que par contraste, pour mieux faire ressortir l'honnêteté fondamentale de tous les jeunes héros de Corneille, tels qu'ils apparaissent depuis ses premières comédies, et tels qu'ils resteront dans *le Menteur* : l'argent n'y corrompt que les domestiques. Et, de l'aveu même de Cliton (v. 99), les dames qui entrent en scène n'appartiennent pas aux milieux qu'il connaît.

SCÈNE II. — DORANTE, CLARICE, LUCRÈCE, ISABELLE.

CLARICE, *faisant un faux pas, et comme se laissant choir.*

105 Ay!

DORANTE, *lui donnant la main* [1].

— Ce malheur me rend un favorable office,
Puisqu'il me donne lieu de ce petit service;
Et c'est pour moi, Madame, un bonheur souverain
Que cette occasion de vous donner la main.

CLARICE. — L'occasion ici fort peu vous favorise,
110 Et ce faible bonheur ne vaut pas qu'on le prise.

DORANTE. — Il est vrai, je le dois tout entier au hasard :
Mes soins ni vos désirs n'y prennent point de part;
Et sa douceur mêlée avec cette amertume
Ne me rend pas le sort plus doux que de coutume [2],
115 Puisqu'enfin ce bonheur, que j'ai si fort prisé,
A mon peu de mérite eût été refusé.

CLARICE. — S'il a perdu si tôt ce qui pouvait vous plaire [3],
Je veux être à mon tour d'un sentiment [4] contraire,
Et crois qu'on doit trouver plus de félicité
120 A posséder un bien sans l'avoir mérité.
J'estime plus un don qu'une reconnaissance :
Qui nous donne fait plus que qui nous récompense;
Et le plus grand bonheur au mérite rendu [5]
Ne fait que nous payer de ce qui nous est dû.
125 La faveur qu'on mérite est toujours achetée;
L'heur [6] en croît d'autant plus, moins elle est méritée [7];
Et le bien où sans peine elle fait parvenir
Par le mérite à peine aurait pu s'obtenir.

DORANTE. — Aussi ne croyez pas que jamais je prétende
130 Obtenir par mérite une faveur si grande :
J'en sais mieux le haut prix; et mon cœur amoureux,
Moins il s'en connaît digne, et plus s'en tient heureux.
On me l'a pu toujours dénier sans injure [8];
Et si la recevant ce cœur même en murmure,

---

1. Il faut ici une pause pour ménager l'effet du jeu de scène. — 2. Dorante laisse supposer qu'il attend depuis longtemps l'occasion de *donner la main* (v. 108) à Clarice. C'est le début du mensonge, né du développement d'une galanterie. — 3. Dorante vient de dire que ce bonheur était plein d'amertume. — 4. D'une opinion. Clarice oppose à Dorante le raisonnement inverse du sien. C'est un jeu d'esprit, fait avec une élégance détachée. — 5. Valeur conditionnelle du participe : si on le rend *au mérite*, s'il paie le mérite (au lieu d'être donné). — 6. Le bonheur. — 7. D'autant plus que cette faveur est *moins méritée.* — 8. *On a toujours pu* me refuser cette faveur sans commettre d'injustice (puisqu'il ne la mérite pas).

135 Il se plaint du malheur de ses félicités [1],
Que le hasard lui donne, et non vos volontés.

1. Dorante riposte en s'efforçant de distinguer : le bonheur d'avoir pu donner la main à Clarice, bonheur dont il est indigne; les circonstances qui lui ont donné ce bonheur, un hasard qui ne le satisfait point, et qui est donc une sorte de malheur pour lui.

● **« La Verdad sospechosa » (I, 4)** — *Jacinta, Lucrecia et Isabel entrent en scène. Jacinta tombe; Garcia vient à elle et lui donne la main.*

JACINTA. — Mon Dieu!
DON GARCIA. — Permettez que ma main vous relève, si du moins je mérite, comme Atlas, de soutenir un si beau ciel!
JACINTA. — Vous êtes un Atlas, Monsieur, puisque ce ciel, vous l'avez touché!
DON GARCIA. — C'est une chose d'obtenir, une autre de mériter. Est-ce pour moi une victoire d'atteindre la beauté qui m'a enflammé, si je dois cette faveur au hasard, non à votre volonté? Avec ma main oui, je touche le ciel : mais cela peut-il me satisfaire, si c'est parce que le ciel est tombé, et non parce que je me suis élevé jusqu'à lui?
JACINTA. — Mais pourquoi mériter?
DON GARCIA. — Pour obtenir.
JACINTA. — Obtenir sans passer par les intermédiaires, n'est-ce pas une chose merveilleuse?
DON GARICA. — Sans aucun doute.
JACINTA. — Pourquoi donc vous plaindre du bonheur qui vous est arrivé? Il vous vient sans mérite, il n'en est que plus heureux...
DON GARCIA. — C'est que les offenses et les faveurs n'ont de sens que par l'intention qui les produit, et votre main que je touche ne m'est pas une faveur, si vous ne l'avez pas donnée volontairement. Ainsi laissez-moi regretter, quand un tel bonheur m'arrive, que la main me vienne sans l'âme, et la faveur sans l'intention.
JACINTA. — Si j'ignorais votre intention, que vous me révélez maintenant, ne m'accusez pas du défaut de la mienne (suite p. 35).

● **La conversation galante et les mœurs contemporaines** — La comparaison avec le texte espagnol est instructive car, si Corneille en reprend le thème principal et en reproduit certaines formules, il élimine quelques images propres au goût espagnol, joue davantage du heurt de mots abstraits, et surtout *développe* une scène nettement plus courte dans l'original. Il le fait par goût, mais aussi par souci de réalisme : dans le milieu qu'il peint, marqué par la politesse mondaine et par la préciosité, on aime ce genre de débat sur un cas précis de métaphysique amoureuse.

● **Mais il ne faut pas être dupe des mots** — C'est un jeu que cette conversation, l'éternelle comédie de la conquête amoureuse : le garçon doit chercher à séduire la fille, qui accepte, de bonne guerre, de se laisser courtiser, mais cherche aussi à se défendre. Cette lutte est ici transposée, selon les mœurs du milieu évoqué, en un assaut d'esprit, mais l'essentiel se joue entre les mots.
— Clarice accepte la rencontre avec un inconnu, et disserte d'amour.
— Dorante joue le personnage de l'amoureux (v. 107, 115, 131).
— Clarice, sensible à son charme, y répond par beaucoup d'esprit, avec une ironie qui est son moyen de défense (v. 117-118 et surtout 145-150).
— Dorante, pour vaincre cette résistance, en est amené à s'inventer un personnage plus séduisant et de plus de poids que lui-même.
① Montrez que le mensonge s'insère naturellement dans une aventure où, pour l'instant, tout est dans le plaisir, et rien dans les sentiments.

● **En même temps, les personnages se dessinent :** Dorante, habile à profiter des circonstances et beau-parleur; Clarice, joueuse et enjouée.
② Que penser, dans cette perspective, du silence de Lucrèce?

Un amant a fort peu de quoi se satisfaire
Des faveurs qu'on lui fait sans dessein de les faire :
Comme l'intention seule en forme le prix,
140 Assez souvent sans elle on les joint au mépris.
Jugez par là quel bien peut recevoir ma flamme
D'une main qu'on me donne en me refusant l'âme.
Je la tiens, je la touche et je la touche en vain,
Si je ne puis toucher le cœur avec la main [1].

CLARICE. — 145 Cette flamme, Monsieur, est pour moi fort nouvelle,
Puisque j'en viens de voir la première étincelle [2].
Si votre cœur ainsi s'embrase en un moment,
Le mien ne sut jamais brûler si promptement;
Mais peut-être, à présent que j'en suis avertie,
150 Le temps donnera place à plus de sympathie [3].
Confessez cependant qu'à tort vous murmurez
Du mépris de vos feux, que j'avais ignorés.

SCÈNE III. — DORANTE, CLARICE, LUCRÈCE, ISABELLE, CLITON.

DORANTE. — C'est l'effet du malheur qui partout m'accompagne.
Depuis que j'ai quitté les guerres d'Allemagne [4],
155 C'est-à-dire du moins [5] depuis un an entier,
Je suis et jour et nuit dedans votre quartier;
Je vous cherche en tous lieux, au bal, aux promenades;
Vous n'avez que de moi reçu des sérénades [6];
Et je n'ai pu trouver que cette occasion
160 A vous entretenir de mon affection.

CLARICE. — Quoi! vous avez donc vu l'Allemagne et la guerre?

DORANTE. — Je m'y suis fait quatre ans craindre comme un tonnerre.

CLITON. — Que lui va-t-il conter?

DORANTE. — Et durant ces quatre ans
Il ne s'est fait combats, ni sièges importants,
165 Nos armes n'ont jamais remporté de victoire,
Où [7] cette main n'ait eu bonne part à la gloire;
Et même la gazette [8] a souvent divulgués...

---

1. En même temps que votre *main*. Noter la vigueur de la formule, aboutissement d'une tirade qu'elle résume et qu'elle éclaire. Sans la tirade, la formule serait abrupte; sans la formule, la tirade serait obscure. C'est la *pointe* chère aux précieux, revigorée par l'art d'un grand poète. — 2. Clarice joue sur la métaphore de la *flamme* amoureuse, mais pour mieux se moquer de Dorante. — 3. Ton ironique, mais au fond plus sincère qu'il n'apparaît au premier contact (voir les v. 463-464). — 4. Il s'agit de la dernière période de la guerre de Trente Ans (1635-1648), pendant laquelle la France intervint directement contre la Maison d'Autriche. Ce fut, pour la noblesse française, l'occasion de nombreux exploits. — 5. Au *moins*. — 6. « Mœurs espagnoles plutôt que françaises », notent nombre de commentateurs. Il est vrai qu'on ne donne guère de *sérénades* dans les rues de Paris. Pourtant, ces sérénades ne figurent pas dans le texte espagnol. Ne seraient-elles pas une mode italienne, à la Cour, à la ville et dans les conventions théâtrales du temps? — 7. Dans lesquelles. — 8. *La Gazette* de France, fondée par Théophraste Renaudot dix ans auparavant, et dont le caractère était très officiel.

● **« La Verdad sospechosa » (I, 5, suite de la p. 33)** — *Tristan rentre en scène.*

TRISTAN, *à part.* — Le cocher a fait son office. J'ai des renseignements sur elles.
DON GARCIA. — N'avez-vous jusqu'ici jamais rencontré de marques de ma passion?
JACINTA. — Et comment? Je ne vous ai jamais vu.
DON GARCIA. — Dieu! Faut-il que pendant plus d'une année j'aie été fou de vous sans résultat!
TRISTAN, *à part.* — Une année, et il est arrivé hier à Madrid!
JACINTA. — Vraiment? Plus d'un an? Je jurerais que je ne vous ai jamais vu.
DON GARCIA. — Lorsque, pour mon bonheur, quittant la terre des Indes, j'arrivai dans cette ville, la première chose que je vis fut la gloire de votre ciel, et mon âme vous appartint sur-le-champ. Si vous n'en avez rien su, c'est que l'occasion m'a toujours manqué de vous dire mon sentiment.
JACINTA. — Vous venez des Indes?
DON GARCIA. — Et je me sais si riche, depuis que je vous ai vue, que j'éclipse Potosi et ses mines.
TRISTAN, *à part.* — Des Indes!
JACINTA. — On dit les gens de là-bas fort économes.
DON GARCIA. — Du plus avare l'amour fait un prodigue.
JACINTA. — Si vous dites vrai, nous aurons des fêtes magnifiques.
DON GARCIA. — Si l'argent permettait de faire à sa volonté, ce serait peu pour moi de vous donner pour preuve de mon amour autant de mondes d'or que vous me donnez de désirs. Mais mon pouvoir ne peut s'égaler ni au mérite de votre divine beauté, ni à l'immensité de mon amour; permettez au moins que cette boutique [1] vous offre une preuve de ma passion.
JACINTA, *à part.* — Je n'ai jamais vu d'homme semblable à Madrid. (*A Lucrecia.*) Lucrecia, que te semble de cet Indien généreux?
LUCRECIA. — Qu'il ne te paraît pas mal; et qu'il le mérite.
DON GARCIA. — Si quelque bijou vous plaît, prenez-le.
TRISTAN, *à son maître.* — Tu t'avances beaucoup!
DON GARCIA. — Tristan, je suis perdu.
ISABEL, *aux dames.* — Don Juan s'approche.
JACINTA. — Je vous remercie, Monsieur, de vos offres.
DON GARCIA. — Vous m'offenseriez en refusant.
JACINTA. — Vous vous trompez, si vous pensez que je puisse accepter autre chose que vos services.
DON GARCIA. — Mais alors, qu'a obtenu de vous ce cœur que je vous ai donné?
JACINTA. — Je vous ai écouté.
DON GARCIA. — Je vous en remercie.
JACINTA. — Adieu.
DON GARCIA. — Adieu, et donnez-moi la permission de vous aimer.
JACINTA. — Pour aimer, je ne pense pas qu'un cœur ait besoin de permission.

● **Les scènes 2 et 3 forment un tout,** puisque le retour de Cliton, qui justifie le changement de scène (après le v. 152), est une rentrée silencieuse à laquelle personne ne prête attention.
L'exposition s'y développe par la présentation des deux héroïnes de l'histoire et par la démonstration des talents inventifs de Dorante. Le public, mis en éveil par le titre de la pièce, découvre son héros. La rencontre des femmes et de Dorante est sans doute le point de départ de l'action, mais celle-ci n'est pas encore engagée avec précision. Il s'agit en quelque sorte ici d'un prologue.

① Montrez que, pour une comédie d'intrigue qui repose tout entière sur un quiproquo et des mensonges, Corneille a choisi le meilleur parti en faisant connaître *de visu* les personnages avant que s'engage l'action véritable.

1. Il s'agit d'un magasin d'orfèvre. Nous sommes à las Platerias (voir p. 15).

CLITON, *le tirant par la basque.*

— Savez-vous bien, Monsieur, que vous extravaguez?

DORANTE. — Tais-toi.

CLITON. — Vous rêvez [1], dis-je, ou...

DORANTE. — Tais-toi, misérable [2].

CLITON. 170 — Vous venez de Poitiers, ou je me donne au diable;
Vous en revîntes hier.

DORANTE, *à Cliton.*

— Te tairas-tu, maraud?

(A Clarice.)

Mon nom dans nos succès s'était mis assez haut
Pour faire quelque bruit sans beaucoup d'injustice;
Et je suivrais encore un si noble exercice,
175 N'était que l'autre hiver, faisant ici ma cour,
Je vous vis, et je fus retenu par l'amour.
Attaqué par vos yeux, je leur rendis les armes;
Je me fis prisonnier de tant d'aimables charmes;
Je leur livrai mon âme; et ce cœur généreux
180 Dès ce premier moment oublia tout pour eux.
Vaincre dans les combats, commander dans l'armée,
De mille exploits fameux enfler ma renommée [3],
Et tous ces nobles soins qui m'avaient su ravir,
Cédèrent aussitôt à ceux de vous servir.

ISABELLE, *à Clarice, tout bas.*

185 Madame, Alcippe vient; il aura de l'ombrage [4].

CLARICE. — Nous en saurons, Monsieur, quelque jour davantage.
Adieu.

DORANTE. — Quoi? me priver sitôt de tout mon bien!

CLARICE. — Nous n'avons pas loisir d'un plus long entretien;
Et, malgré la douceur de me voir cajolée,
190 Il faut que nous fassions seules deux tours d'allée.

DORANTE. — Cependant accordez à mes vœux innocents
La licence d'aimer des charmes si puissants.

CLARICE. — Un cœur qui veut aimer, et qui sait comme on aime,
N'en demande jamais licence qu'à soi-même.

---

1. Voir la note du v. 312. — 2. Le terme est fort; Dorante se prendrait-il à son jeu? — 3. Rodrigue avait dit (*Le Cid*, v. 189-190) :

> *Attaquer une place, ordonner une armée,*
> *Et sur de grands* exploits *bâtir sa* renommée...

Il y a plus qu'une rencontre de rimes. — 4. La jalousie d'Alcippe, qui le porte à se défier de tout, est ainsi annoncée, et justifie le départ de Clarice.

Le premier mensonge de Dorante

a) Don Garcia, dans *la Verdad sospechosa,* invente une situation en rapport avec les réalités espagnoles. Corneille a l'art de transposer ce mensonge dans la réalité française contemporaine. Le bénéfice qu'il en tire est multiple :

— le plaisir que prend le public aux allusions *(guerres d'Allemagne*, v. 154; *la gazette*, v. 167*)* ; car Dorante s'identifie alors à un type fort connu des Parisiens, le militaire en congé ou en quartier d'hiver, qui est, de tradition, vantard et aventurier.

① Comparez cette vantardise pleine d'allusions réelles à la vantardise traditionnelle du Matamore (*L'Illusion Comique*, acte II, sc. 2).

— A l'image du seigneur riche et généreux qui applique trop littéralement les conseils de son valet Tristan, Corneille substitue une image héroïque : Dorante accuse un singulier penchant à s'assimiler aux héros de Corneille lui-même, Matamore ou Rodrigue.

② Cherchez les vers qui, séparés du contexte et de la situation comique, sont empreints d'une grandeur héroïque.

③ Cette assimilation est-elle consciemment recherchée, comme un moyen de séduction, ou vient-elle de la nature spontanément « généreuse » du personnage?

b) Mais, en même temps, Corneille modifie la nature du mensonge. Au mensonge discrètement amené et discrètement exploité par don Garcia, il substitue un mensonge volontairement grossi et difficilement croyable.

④ Cherchez ce qui rend ce mensonge invraisemblable.

⑤ Montrez que Dorante utilise pourtant des éléments réels pour étayer son mensonge.

⑥ Montrez qu'ainsi Dorante joue avec la difficulté, qui est de donner crédibilité non pas à un mensonge habilement dosé, mais à un récit où éclate l'exagération, et qu'il obtient cet effet par son aisance et son art de l'improvisation.

c) Le personnage de DORANTE : on retrouve, dans cette scène 3, l'élégant cavalier de la première scène, son aisance, son naturel, sa légère fatuité. Mais il reçoit de son art de mentir un prestige incomparable. Chez lui, mentir n'est pas un vice que Corneille s'amuserait à flétrir. C'est un jeu, un risque qu'il prend, pour le plaisir de bien inventer. Sans doute est-il au départ, comme le Don Garcia d'Alarcon, quelqu'un qui ment pour se faire valoir. Mais il s'efforce de donner à son invention une qualité, un panache qui n'appartiennent qu'à lui. Il ment pour lui-même et pour la beauté de la chose. Très paradoxalement, et en dehors de toute considération morale, **Dorante est séduisant par ses mensonges.**

L'intervention de Cliton — Dans le modèle espagnol, Tristan souligne en aparté les mensonges de son maître. Corneille fait intervenir plus activement Cliton, puisqu'il interrompt son maître.

⑦ Montrez l'effet de farce de cette intervention, et comment, par contraste, elle fait ressortir le caractère « héroïque » des mensonges de Dorante. Le comique de farce n'a jamais, chez Corneille, qu'un rôle subordonné.

SCÈNE IV. — DORANTE, CLITON.

DORANTE. — 195 Suis-les, Cliton.

CLITON. — J'en sais ce qu'on en peut savoir.
La langue du cocher a fait tout son devoir.
« La plus belle des deux, dit-il, est ma maîtresse,
Elle loge à la Place [1], et son nom est Lucrèce. »

DORANTE. — Quelle place?

CLITON. — Royale, et l'autre y loge aussi.
200 Il n'en sait pas le nom, mais j'en prendrai souci.

DORANTE. — Ne te mets point, Cliton, en peine de l'apprendre.
Celle qui m'a parlé, celle qui m'a su prendre,
C'est Lucrèce, ce l'est sans aucun contredit :
Sa beauté m'en assure, et mon cœur me le dit.

CLITON. — 205 Quoique mon sentiment doive respect au vôtre,
La plus belle des deux, je crois que ce soit l'autre [2].

DORANTE. — Quoi! celle qui s'est tue, et qui dans nos propos
N'a jamais eu l'esprit [3] de mêler quatre mots?

CLITON. — Monsieur, quand une femme a le don de se taire,
210 Elle a des qualités au-dessus du vulgaire;
C'est un effort du Ciel qu'on a peine à trouver;
Sans un petit miracle il ne peut l'achever;
Et la nature souffre extrême violence
Lorsqu'il en fait d'humeur à garder le silence.
215 Pour moi, jamais l'amour n'inquiète mes nuits;
Et, quand le cœur m'en dit, j'en prends par où je puis;
Mais naturellement femme qui se peut taire
A sur moi tel pouvoir et tel droit de me plaire,
Qu'eût-elle en vrai magot [4] tout le corps fagoté,
220 Je lui voudrais donner le prix de la beauté.
C'est elle assurément qui s'appelle Lucrèce :
Cherchez un autre nom pour l'objet [5] qui vous blesse [6];
Ce n'est point là le sien : celle qui n'a dit mot,
Monsieur, c'est la plus belle, ou je ne suis qu'un sot.

DORANTE. — 225 Je t'en crois sans jurer [7] avec tes incartades [8].
Mais voici les plus chers de mes vieux camarades :
Ils semblent étonnés [9], à voir leur action [10].

---

1. Cliton parle suivant l'usage parisien, pour désigner *la Place... Royale* (v. 199). L'effet d'actualité est souligné par l'ignorance de celui qui arrive de Poitiers. — 2. Derrière un verbe d'opinion, nous n'employons plus le subjonctif, sauf si ce verbe est à la forme négative. L'usage, au temps de Corneille, était incertain. Le subjonctif introduit peut-être ici une nuance de prudence dans l'affirmation de Cliton. — 3. L'art de la conversation, pour un jeune aristocrate de l'époque, est une composante nécessaire du charme et de la beauté. — 4. Singe. — 5. La femme. — 6. Verbe pris très fréquemment au sens figuré pour parler des émotions de l'amour. — 7. Sans que tu jures. — 8. Extravagances. Corneille avait d'abord écrit (1644-1656) : « avecque tes boutades ». — 9. Frappés de stupéfaction. — 10. Leur attitude, leur comportement.

SCÈNE V. — DORANTE, ALCIPPE, PHILISTE, CLITON.

PHILISTE, *à Alcippe.*
— Quoi! sur l'eau la musique et la collation [1]?

ALCIPPE, *à Philiste.*
— Oui, la collation avecque la musique.

PHILISTE, *à Alcippe.*
230 Hier [2] au soir?

ALCIPPE, *à Philiste.*
— Hier au soir.

PHILISTE, *à Alcippe.*
— Et belle?

ALCIPPE, *à Philiste.*
— Magnifique.

PHILISTE, *à Alcippe.*
— Et par qui?

ALCIPPE, *à Philiste.*
— C'est de quoi je suis mal éclairci.

DORANTE, *les saluant.*
— Que mon bonheur est grand de vous revoir ici!

ALCIPPE. — Le mien est sans pareil, puisque je vous embrasse [3].

DORANTE — J'ai rompu vos discours d'assez mauvaise grâce :
235 Vous le pardonnerez à l'aise de vous voir.

PHILISTE. — Avec nous, de tout temps, vous avez tout pouvoir.

---

1. Repas nocturne offert dans une fête. — 2. Monosyllabe : voir p. 27, n. 7. — 3. Alcippe n'est guère démonstratif pour un « vieux camarade ». Il est vrai qu'il est préoccupé.

- **La scène 4** est le point de départ du quiproquo qui durera jusqu'au dénouement (voir les vers 1717-1720), quiproquo emprunté au texte espagnol que Corneille traduit (*La Verdad sospechosa*, I, 6).

- **La personnalité de Dorante** rend ce quiproquo plausible : Dorante est sensible au charme de celle qui semble avoir répondu à ses avances. Mais surtout, dans le milieu mondain que Corneille peint, la beauté est liée à l'esprit. Or, Lucrèce n'a pas d'*esprit*, donc elle ne saurait valoir son amie en *beauté*; les vers 207-208 sont d'autant plus significatifs qu'ils ne figurent pas dans le texte espagnol (« Quel bon goût! » dit simplement Don Garcia en se moquant du choix de Tristan).
① Dorante invoque l'appel de son cœur (v. 204) Est-il amoureux?

- **La tirade de Cliton** (v. 209-224) prend le contrepied de cette attitude, dont elle dénonce le postulat par une formulation volontairement grossie du postulat inverse (v. 217-220 notamment).
② Montrez que Corneille s'amuse à opposer le type populaire, avec sa faconde, au type aristocratique avec sa distinction.

DORANTE. — Mais de quoi parliez-vous?
ALCIPPE. — D'une galanterie.
DORANTE. — D'amour?
ALCIPPE. — Je le présume.
DORANTE. — Achevez, je vous prie,
Et souffrez qu'à ce mot ma curiosité
240 Vous demande sa part de cette nouveauté.
ALCIPPE. — On dit qu'on a donné musique à quelque dame.
DORANTE. — Sur l'eau?
ALCIPPE. — Sur l'eau.
DORANTE. — Souvent l'onde irrite la flamme [1].
PHILISTE. — Quelquefois.
DORANTE. — Et ce fut hier au soir?
ALCIPPE. — Hier au soir.
DORANTE. — Dans l'ombre de la nuit le feu se fait mieux voir :
245 Le temps était bien pris. Cette dame, elle est belle?
ALCIPPE. — Aux yeux de bien du monde elle passe pour telle.
DORANTE. — Et la musique?
ALCIPPE. — Assez pour n'en rien dédaigner.
DORANTE. — Quelque collation a pu l'accompagner?
ALCIPPE. — On le dit.
DORANTE. — Fort superbe?
ALCIPPE. — Et fort bien ordonnée.
DORANTE. — 250 Et vous ne savez point celui qui l'a donnée?
ALCIPPE. — Vous en riez!
DORANTE. — Je ris de vous voir étonné
D'un divertissement que je me suis donné.
ALCIPPE. — Vous?
DORANTE. — Moi-même.
ALCIPPE. — Et déjà vous avez fait maîtresse [2]?
DORANTE. — Si je n'en avais fait, j'aurais bien peu d'adresse,
255 Moi qui depuis un mois suis ici de retour.
Il est vrai que je sors fort peu souvent de jour :
De nuit, *incognito* [3], je rends quelques visites;
Ainsi...

CLITON, *à Dorante, à l'oreille.*
— Vous ne savez, Monsieur, ce que vous dites.
DORANTE. — Tais-toi; si jamais plus tu me viens avertir...

---

1. Par cette formule générale, apparemment détachée, et qui doit exaspérer Alcippe, Dorante joue les entendus. — 2. Trouvé une femme qui accepte d'être courtisée. — 3. Sans être connu; expression italienne d'un emploi récent à l'époque. C'est un exemple de plus du vernis d'actualité mondaine et parisienne que Corneille donne à son texte (voir le v. 806).

CLITON. 260 J'enrage de me taire et d'entendre mentir!

PHILISTE, *à Alcippe, tout bas.*
— Voyez qu'heureusement dedans cette rencontre
Votre rival lui-même à vous-même se montre.

● **« La Verdad sospechosa » (I,7)**

DON GARCIA. — Que faites-vous? de quoi parlez-vous?
DON JUAN. — De certaine musique qu'avec un repas sur l'eau, cette nuit, un galant a donné à une dame. Tout le monde en parle.
DON GARCIA. — Musique et repas, Don Juan, et cette nuit?
DON JUAN. — Oui.
DON GARCIA. — Grande dépense et fête magnifique?
DON JUAN. — C'est ce qu'on raconte.
DON GARCIA. — Et la dame, très belle?
DON JUAN. — Très belle, on me l'a dit.
DON GARCIA. — Bien.
DON JUAN. — Quel air mystérieux!
DON GARCIA. — C'est qu'en louant si fort et la dame et la fête, vous ne faites que louer ma fête et ma maîtresse.
DON JUAN. — Vous avez vous aussi régalé quelqu'un sur l'eau cette nuit?
DON GARCIA. — Je l'y ai passée tout entière.
TRISTAN, *à part.* — Quelle dame et quelle fête sont-ce là? Il est arrivé hier à la Cour.
DON JUAN. — Et vous avez déjà quelqu'un à qui offrir une fête, quand vous venez d'arriver? L'amour vous a vite favorisé!
DON GARCIA. — Mon arrivée n'est pas si récente que je n'aie déjà passé un mois ici.
TRISTAN, *à part.* — Il est arrivé hier, par Dieu! Il doit avoir une arrière-pensée.
DON JUAN. — Je n'en savais rien, je vous assure. Car je serais accouru vous rendre ce que je vous dois.
DON GARCIA. — Mon séjour jusqu'ici est resté secret.
DON JUAN. — Voilà pourquoi je ne l'ai pas appris. Mais la fête fut donc réussie?
DON GARCIA. — A coup sûr, la rivière n'en a jamais vue de plus belle.
DON JUAN, *à part.* — La jalousie me rend fou. (*Haut.*) J'imagine que le *Sotillo* [1] vous a offert l'épaisseur de ses ombrages...
DON GARCIA. — Vous me donnez de tels détails, Don Juan, que je vous soupçonne de connaître cette fête comme moi!
DON JUAN. — Je n'en ignore pas tout, mais je suis loin de tout en connaître. On m'a donné sur elle des renseignements confus, juste assez pour me donner l'envie d'entendre de vous la vérité La curiosité est naturelle à un citadin oisif (*à part*) et à un amant jaloux.
DON FÉLIX, *à Don Juan.* — Voyez comme, sans y penser, le Ciel vous fait découvrir votre rival.
DON GARCIA. — Voici donc cette fête. Je vais vous en donner un récit puisqu'aussi bien je vois que vous êtes assailli du désir de la connaître.
DON JUAN. — Nous vous en remercions (suite, p. 43).

La scène 5 est imitée de très près du modèle espagnol; elle en suit les trois mouvements principaux : la rencontre, le récit de la collation imaginaire, la séparation.
① Relevez les éléments du texte qui sont simple traduction.
② Corneille abrège cependant les cérémonies de reconnaissance. Pour quelle raison?
③ De même Corneille réduit, voire supprime, toute indication de la jalousie d'Alcippe dans ce début de scène (il faut attendre le v. 262 pour être renseigné). Quel peut être l'effet dramatique de ces suppressions? — Au contraire, Corneille développe considérablement la part du jeu comique.
④ Essayez de définir le comique de Corneille d'après cette scène.

1. Mot à mot « le Petit Bois »; c'était, au bord du Manzanares, une promenade à la mode.

DORANTE, *revenant à eux.*

— Comme à mes chers amis je vous veux tout conter.
J'avais pris cinq bateaux pour mieux tout ajuster [1];
265 Les quatre [2] contenaient quatre chœurs de musique [3],
Capables de charmer le plus mélancolique.
Au premier, violons; en l'autre, luths et voix;
Des flûtes, au troisième; au dernier, des hautbois,
Qui tour à tour dans l'air poussaient des harmonies
270 Dont on pouvait nommer les douceurs infinies.
Le cinquième était grand, tapissé tout exprès
De rameaux enlacés pour conserver le frais,
Dont chaque extrémité portait un doux mélange
De bouquets de jasmin, de grenade et d'orange [4].
275 Je fis de ce bateau la salle du festin :
Là je menai l'objet qui fait seul mon destin;
De cinq autres beautés [5] la sienne fut suivie,
Et la collation fut aussitôt servie.
Je ne vous dirai point les différents apprêts,
280 Le nom de chaque plat, le rang de chaque mets :
Vous saurez seulement qu'en ce lieu de délices
On servit douze plats, et qu'on fit six services,
Cependant que les eaux, les rochers et les airs
Répondaient aux accents de nos quatre concerts.
285 Après qu'on eut mangé, mille et mille fusées,
S'élançant vers les cieux, ou droites ou croisées,
Firent un nouveau jour, d'où tant de serpenteaux [6]
D'un déluge de flamme attaquèrent les eaux,
Qu'on crut que, pour leur faire une plus rude guerre,
290 Tout l'élément du feu [7] tombait du ciel en terre.
Après ce passe-temps on dansa jusqu'au jour,
Dont le soleil jaloux avança le retour :
S'il eût pris notre avis, sa lumière importune
N'eût pas troublé sitôt ma petite fortune;
295 Mais n'étant pas d'humeur à suivre nos désirs,
Il sépara la troupe et finit nos plaisirs.

ALCIPPE. — Certes, vous avez grâce à conter ces merveilles;
Paris, tout grand qu'il est, en voit peu de pareilles.

---

1. Arranger. — 2. *Quatre* sur cinq. — 3. Quatre groupes de musiciens. Avant la constitution de l'orchestre moderne, où se mêlent des instruments de timbres différents, on aimait réunir des groupes d'instruments de sonorité homogène, qui formaient un *chœur* et exécutaient un *concert* (v. 284) (cf. le sens du mot *concerto* dans la musique italienne du XVIIe s.). — 4. Il s'agit des fleurs du grenadier et de l'oranger. On disait à l'époque : fleur *de grenade*, fleur *d'orange*. — 5. Confusion volontaire et recherche précieuse que cet emploi d'un même terme dans son sens concret (*beautés :* femme) et abstrait (*la sienne*). — 6. Fusées qui suivent une trajectoire sinueuse. — 7. Terme de physique. Les quatre éléments se trouvent ici mêlés en une cosmogonie poétique dont l'emphase consciente (*on crut que...*) est caractéristique de l'inspiration précieuse.

● « **La Verdad sospechosa** » (suite de la p. 41).

DON GARCIA. — Entre les ombres épaisses que le bois formait de ses ormes et la nuit de ses ténèbres, se dissimulait une table carrée, propre et odorante, élégante à l'italienne, mais, à l'espagnole, opulente. Les nappes et les serviettes étaient façonnées en mille figures : il ne leur manquait que la vie, pour être fleurs et oiseaux. Sur quatre dressoirs, aux quatre coins, s'étalaient la vaisselle, blanche et or, les verres et les carafons. Dans tout le bois un seul arbre avait gardé ses feuilles : des autres on avait fait six tentes disséminées. Quatre chœurs différents se cachaient dans les quatre premières, la cinquième contenait les entrées, les desserts, la sixième les mets du repas. Ma maîtresse arriva dans son carrosse, faisant pâlir d'envie les étoiles, remplissant l'air de douceur, et le rivage de joie. A peine son adorable pied eut-il fait de l'herbe des émeraudes, du courant un cristal, du sable des perles, qu'éclatèrent en foule fusées, bombes et roues; toute la région du feu tomba en un instant sur la terre. Ces feux d'artifice commençaient à s'éteindre quand la lumière de vingt-quatre torches vint obscurcir les étoiles. Le chœur des hautbois ouvrit le concert, puis celui des violes à archet sonna dans la seconde tente; le son des flûtes, suaves, sortit de la troisième, et la quatrième s'emplit de quatre voix, avec accompagnement de guitare et de harpe. Pendant ce temps, on servit trente-deux plats, sans compter les hors-d'œuvre et les desserts, qui montaient bien au même nombre. Les fruits et les boissons, dans des compotiers et dans des vases, faits du cristal que donne l'hiver et que l'industrie conserve, étaient couverts de tant de neige que le Manzanares dut croire, en traversant le *Sotillo*, qu'il cheminait à travers les glaciers. Mais l'odorat n'est pas sacrifié au palais, qui se délecte. Parfums suaves des flacons et des cassolettes, essences distillées d'aromates, de fleurs et d'herbes, en plein bois de Madrid on se crut au pays de Saba. Pour rappeler à ma maîtresse ma constance et sa cruauté, de délicates flèches d'or piquées en un homme de diamant remplacèrent le jonc ou l'osier, car les pailles doivent être d'or quand les dents sont des perles [1]. Bientôt, joints ensemble, les quatre chœurs suspendirent le mouvement des astres, tant qu'Apollon jaloux hâta sa course, pour que la naissance du jour mette un terme à notre fête.

DON JUAN. — Pardieu, vous nous l'avez dépeinte de couleurs si parfaites que je n'en donnerais pas le récit pour le bonheur d'y avoir assisté.

TRISTAN, *à part.* — Diable d'homme! Il est capable sur-le-champ de décrire un banquet plus vrai que la vérité même!

DON JUAN, *à Don Félix* — J'enrage de jalousie!

DON FÉLIX. — Ce ne sont pas les signes qu'on nous a donnés.

DON JUAN. — Qu'importe, si en l'occurrence le lieu et l'heure concordent.

DON GARCIA. — Que dites-vous?

DON JUAN. — Que ce fut un festin comme n'en aurait pas conçu le Grand Alexandre.

DON GARCIA. — Ce sont des plaisanteries improvisées sur l'heure. Faites-moi l'honneur de croire que, si j'avais eu un jour entier pour y pourvoir, j'aurais fait succéder aux fêtes grecques, que le monde admire tant, un nouveau sujet d'admiration.

● **Le récit de la collation.** — Corneille emprunte presque tous les éléments de son récit au modèle espagnol.

① Faites la comparaison des éléments qu'il reprend, de ceux qu'il omet et de l'ordre des deux textes.

Son but n'est nullement de rendre le récit plus vraisemblable (Alcippe, v. 297, le souligne fort justement), mais de faire de ce récit une chose séduisante par sa qualité poétique. Il ménage une progression; il élimine le prosaïsme de certains éléments matériels; il met l'accent sur tout ce qui évoque le charme, l'élégance, l'harmonie. Aux qualités de l'imagination s'ajoutent celles de la versification; Dorante devient, comme Corneille et grâce à lui, un *poète*.

1. Le texte est obscur. Peut-être Don Garcia décrit-il les cure-dents qui figurent sur la table

DORANTE. — J'avais été surpris; et l'objet de mes vœux
300 Ne m'avait tout au plus donné qu'une heure ou deux.

PHILISTE. — Cependant l'ordre est rare, et la dépense belle.

DORANTE. — Il s'est fallu passer à [1] cette bagatelle :
Alors que le temps presse, on n'a pas à choisir.

ALCIPPE. — Adieu : nous nous verrons avec plus de loisir.

DORANTE. —305 Faites état de moi [2].

ALCIPPE, *à Philiste, en s'en allant.*
— Je meurs de jalousie!

PHILISTE, *à Alcippe.*
— Sans raison toutefois votre âme en est saisie :
Les signes du festin ne s'accordent pas bien.

ALCIPPE, *à Philiste.*
— Le lieu s'accorde, et l'heure; et le reste n'est rien.

SCÈNE VI. — DORANTE, CLITON.

CLITON. — Monsieur, puis-je à présent parler sans vous déplaire?

DORANTE. —310 Je remets à ton choix de parler ou te taire;
Mais quand tu vois quelqu'un, ne fais plus l'insolent.

CLITON. — Votre ordinaire est-il de rêver [3] en parlant?

DORANTE. — Où me vois-tu rêver?

CLITON. — J'appelle rêveries
Ce qu'en d'autres qu'un maître on nomme menteries :
315 Je parle avec respect.

DORANTE. — Pauvre esprit!

CLITON. — Je le perds
Quand je vous oy [4] parler de guerre et de concerts.
Vous voyez sans péril nos batailles dernières,
Et faites des festins qui ne vous coûtent guères.
Pourquoi depuis un an vous feindre de retour?

DORANTE. - 320 J'en montre plus de flamme, et j'en fais mieux ma cour.

CLITON. — Qu'a de propre la guerre à montrer votre flamme?

DORANTE. — Oh! le beau compliment à charmer une dame [5],
De lui dire d'abord : « J'apporte à vos beautés
Un cœur nouveau venu des universités;
325 Si vous avez besoin de lois et de rubriques [6],
Je sais le *Code* entier avec les *Authentiques*,

---

1. Il a fallu se contenter de. — 2. Comptez sur moi. — 3. Voir le vers 169. Cliton ne dit pas : *mentir*; il n'introduira le mot qu'avec de nombreuses précautions (v. 314). — 4. Je vous entends. — 5. Tout ce développement, greffé sur le mensonge des guerres d'Allemagne, est naturellement de l'invention de Corneille. — 6. Titres (marqués *en rouge*, d'où le terme) des ouvrages de jurisprudence.

Le *Digeste* nouveau, le vieux, l'*Infortiat* [1],
Ce qu'en a dit Jason, Balde, Accurse, Alciat [2] ! »
Qu'un si riche discours nous rend considérables!
330 Qu'on amollit par là de cœurs inexorables!
Qu'un homme à paragraphe [3] est un joli galant!
On s'introduit bien mieux à titre de vaillant :
Tout le secret ne gît [4] qu'en un peu de grimace,
A mentir à propos, jurer de bonne grâce,
335 Étaler forces mots qu'elles n'entendent pas,
Faire sonner Lamboy, Jean de Vert et Galas [5],
Nommer quelques châteaux de qui les noms barbares
Plus ils blessent l'oreille, et plus leur semblent rares,
Avoir toujours en bouche angles, lignes, fossés,
340 Vedette [6], contrescarpe [7] et travaux avancés :
Sans ordre et sans raison, n'importe, on les étonne;
On leur fait admirer les bayes [8] qu'on leur donne,
Et tel, à la faveur d'un semblable débit,
Passe pour homme illustre, et se met en crédit.

---

1. Subdivisions des ouvrages de droit romain qui sont restés la base du droit français jusqu'à Napoléon. Le *Code* de Justinien comprend notamment, à la suite des dispositions abrogées ou modifiées, l'état sommaire et *authentique* des dispositions nouvelles qui les remplacent; quant au *Digeste*, recueil des décisions des plus fameux jurisconsultes romains, il avait été divisé en trois parties, *l'ancien, l'infortiat* et le *nouveau*. — 2. Jurisconsultes dont on étudiait encore les écrits. L'école d'*Accurse* (Bolognais du XIIIe s.) domina la jurisprudence jusqu'à ce que Bartole modifiât ses méthodes aux XIVe s. (voir la note du v. 14). *Balde* fut le disciple et le rival de Bartole. *Jason* (XVe s.) est peu connu. *Alciat* fut un grand réformateur du XVIe s., dont la méthode annonce celle de Cujas. Au reste, ces noms valent plus par leur accumulation que par l'identité de ceux qu'ils évoquent. — 3. *Un homme* qui passe sa vie sur les livres de droit et ne sait parler que par les paragraphes de ses livres. L'expression est de l'invention de Corneille. — 4. Ne consiste que. — 5. Généraux de l'Empire, récemment vaincus par les généraux français. Leurs noms sonnaient en France comme autant de victoires. — 6. Tourelle de protection pour les sentinelles. — 7. Mur d'un fossé qui fait face au rempart. Là aussi, l'accumulation des termes compte davantage que leur signification : Dorante choisit au hasard. — 8. La poudre qu'on leur jette aux yeux.

● **La scène** 6 est, elle aussi, imitée de l'espagnol.

Mais Corneille supprime un long développement, où Alarcon montre Don Garcia enflammé d'un amour impatient pour celle que déjà il aime. En revanche, si la justification du mensonge comme moyen d'accès auprès des femmes est traduite de l'espagnol (v. 347), la tirade qui précède est totalement inventée (v. 322-344).

① Analysez la verve de Dorante dans cette tirade. Montrez qu'une sorte d'ivresse l'a saisi, après la réussite de ses premiers mensonges. Qu'apporte-t-elle à la connaissance du personnage?

● **Dorante** en tout cas a pris de l'assurance. Il y a une véritable symétrie — symétrie inversée — entre les scènes 1 et 6. Dans la première, Cliton donnait des conseils à un jeune provincial. Dans celle-ci, c'est Dorante qui en impose à Cliton, mais toujours avec élégance et désinvolture.

② Relevez les vers qui montrent cette autorité et cette désinvolture.

CLITON. — 345 A qui vous veut ouïr, vous en faites bien croire;
Mais celle-ci bientôt peut savoir votre histoire.

DORANTE. — J'aurai déjà gagné chez elle quelque accès;
Et, loin d'en redouter un malheureux succès [1],
Si jamais un fâcheux nous nuit par sa présence,
350 Nous pourrons sous ces mots être d'intelligence [2].
Voilà traiter l'amour, Cliton, et comme il faut.

CLITON. — A vous dire le vrai, je tombe de bien haut.
Mais parlons du festin : Urgande et Mélusine [3]
N'ont jamais sur-le-champ mieux fourni leur cuisine;
355 Vous allez au delà de leurs enchantements :
Vous seriez un grand maître à faire des romans;
Ayant si bien en main [4] le festin et la guerre,
Vos gens [5] en moins de rien courraient toute la terre;
Et ce serait pour vous des travaux fort légers
360 Que d'y mêler partout la pompe et les dangers.
Ces hautes fictions vous sont bien naturelles.

DORANTE. — J'aime à braver ainsi les conteurs de nouvelles;
Et sitôt que j'en vois quelqu'un s'imaginer
Que ce qu'il veut m'apprendre a de quoi m'étonner,
365 Je le sers aussitôt d'un conte imaginaire
Qui l'étonne lui-même et le force à se taire.
Si tu pouvais savoir quel plaisir on a lors [6]
De leur faire rentrer leurs nouvelles au corps...

CLITON. — Je le juge assez grand; mais enfin ces pratiques
370 Vous peuvent engager en de fâcheux intriques [7].

DORANTE. — Nous nous en tirerons; mais tous ces vains discours
M'empêchent de chercher l'objet de mes amours :
Tâchons de le rejoindre, et sache qu'à me suivre [8]
Je t'apprendrai bientôt d'autres façons de vivre.

---

1. Résultat, bon ou mauvais. D'où la précision, nécessaire à l'époque, par un adjectif. — 2. Dorante imagine que les métaphores guerrières pourraient servir de code secret entre deux amants, quand un fâcheux les empêcherait de parler « en clair ». — 3. *Urgande et Mélusine* sont des fées des légendes médiévales, dont les romans de chevalerie avaient rendu les noms populaires. Urgande était la protectrice d'Amadis dans l'*Amadis des Gaules*. Quand à Mélusine, aïeule et protectrice de la famille de Lusignan, en Poitou, son nom a survécu dans la conscience populaire. — 4. Improvisant avec aisance sur... — 5. Les héros de vos romans. — 6. Alors. — 7. Mot masculin, que Corneille emploie constamment pour : intrigue. Il signifie ici : embarras. — 8. En me suivant, si tu me suis.

● **« Vous seriez un grand maître à faire des romans »** (v. 356).

A propos du repas inventé, la réponse de Don Garcia dans le texte espagnol est plus développée et mérite comparaison avec celle de Dorante.

« La Verdad sospechosa » (I, 8) :

TRISTAN. — Mais ce festin?
DON GARCIA. — Je n'aime pas qu'on puisse penser que quelque chose est capable de faire naître dans mon cœur l'envie ou l'admiration, passions indignes d'un homme. Admirer, c'est de l'ignorance; et envier, de la bassesse. Tu ne sais pas, quand arrive un porteur de nouvelles, tout fier de conter une aventure ou une fête, quel plaisir c'est de lui fermer la bouche avec une histoire toute pareille, si bien qu'il s'en retourne avec ses nouvelles dans le corps, ou que trop gonflé d'elles, il éclate!
TRISTAN. — Bizarre idée, et stratagème dangereux. Vous serez la risée de la ville si votre jeu se découvre.
DON GARCIA. — Celui qui vit sans passions, qui se contente d'augmenter le nombre des hommes et de faire ce que tout le monde fait, en quoi est-il différent d'une bête? Être connu, voilà la grande affaire, et le moyen d'y parvenir importe peu. Qu'on parle de moi partout et qu'on me critique parfois! N'a-t-on pas, pour acquérir la gloire, mis le feu au temple d'Éphèse? Enfin, cela me plaît, c'est la raison la plus forte.

Corneille a retenu, pour son Dorante, le besoin d'étonner autrui, le souci de ne jamais être en position d'infériorité, le plaisir de mentir, et jusqu'à l'image qui traduit cette réaction (v. 362-68).
Mais il supprime toute explication d'ordre psychologique ou moral. Don Garcia, qui veut ne montrer ni admiration ni envie, est un *orgueilleux*, et il expose en termes clairs son désir d'être remarqué. Chez Dorante, rien de tel, Corneille s'en tient volontairement à une explication moins analytique. Ce n'est pas le caractère mais le comportement de Dorante qui l'intéresse. Nous ignorons si Dorante est un orgueilleux, mais nous savons que c'est *un joueur*.
Enfin Corneille développe le texte de Cliton. Car la verve de Cliton lui sert à présenter son Dorante mieux qu'une analyse. L'expression en est, comme toujours chez le personnage, comiquement grossie, mais Cliton voit juste lorsqu'il juge Dorante (v. 356) *un grand maître à faire des romans*.
Ainsi les éléments d'un jugement moral, tels qu'ils apparaissent chez Alarcon (Don Garcia est moralement condamnable et l'histoire est celle de sa punition), disparaissent dans *le Menteur*, au profit d'un personnage jeune et séduisant, au caractère moins marqué, mais par la plus apte à animer une comédie d'intrigue et de verve.

● **Le premier acte** forme un tout très solidement construit. Il est tiré des scènes 3 à 8 de l'acte I de *la Verdad Sospechosa*, qui forment un tableau unique.
Les deux rencontres et les deux mensonges s'opposent et se complètent, annoncés, liés, prolongés par le dialogue de Dorante et de Cliton. La symétrie inverse des scènes 1 et 6 montre en outre que la progression est certaine.
L'action pourtant est fort peu engagée. Nous connaissons les principaux personnages de la pièce, à l'exception de Géronte, dont la présentation ouvrira l'acte II (conformément aux usages des expositions classiques). Mais, si l'on devine que les amours de Dorante avec celle qu'il aime, et la rivalité avec Alcippe vont l'engager dans de *fâcheux intriques* (v. 370), rien ne permet de savoir clairement qu'Alcippe aime précisément Clarice, rien ne permet d'affirmer que Dorante se trompe sur la personnalité de Lucrèce. Cet acte donc, refermé sur lui-même, et dans un décor particulier, est bien un *prologue* à l'action véritable.

① Montrez que le mot de la fin (v. 371-374) n'annonce rien de précis, mais achève avec panache la présentation de Dorante.

ACTE II

SCÈNE PREMIÈRE. — GÉRONTE, CLARICE, ISABELLE.

CLARICE. — 375 Je sais qu'il vaut beaucoup, étant sorti de vous [1];
Mais, Monsieur, sans le voir, accepter un époux,
Par quelque haut récit qu'on en [2] soit conviée,
C'est grande avidité de se voir mariée.
D'ailleurs [3] en recevoir visite et compliment,
380 Et lui permettre accès en qualité d'amant,
A moins qu'à vos projets un plein effet réponde,
Ce serait trop donner à discourir au monde.
Trouvez donc un moyen de me le faire voir,
Sans m'exposer au blâme et manquer au devoir.

GÉRONTE. — 385 Oui, vous avez raison, belle et sage Clarice :
Ce que vous m'ordonnez est la même justice [4];
Et comme c'est à nous à subir votre loi,
Je reviens tout à l'heure, et Dorante avec moi.
Je le tiendrai longtemps dessous votre fenêtre,
390 Afin qu'avec loisir vous puissiez le connaître,
Examiner sa taille, et sa mine, et son air,
Et voir quel est l'époux que je vous veux donner.
Il vint hier de Poitiers, mais il sent peu l'école;
Et si l'on pouvait croire un père à sa parole,
395 Quelque écolier qu'il soit, je dirais qu'aujourd'hui
Peu de nos gens de Cour sont mieux taillés que lui.
Mais vous en jugerez après la voix publique.
Je cherche à l'arrêter, parce qu'il m'est unique [5],
Et je brûle surtout de le voir sous vos lois.

CLARICE. — 400 Vous m'honorez beaucoup d'un si glorieux choix :
Je l'attendrai, Monsieur, avec impatience,
Et je l'aime déjà sur cette confiance.

SCÈNE II. — ISABELLE, CLARICE.

ISABELLE. — Ainsi vous le verrez, et sans vous engager.

CLARICE. — Mais pour le voir ainsi qu'en pourrai-je juger?
405 J'en verrai le dehors, la mine, l'apparence;

---

1. Né *de vous*. — 2. *En*, pour : y. On disait alors *convier de*, plutôt que *convier à*. — 3. Sens fort : par ailleurs, d'un autre côté. — 4. La justice même. — 5. *Je cherche* à le fixer par le mariage, car c'est mon fils *unique*.

Mais du reste [1], Isabelle, où prendre l'assurance?
Le dedans paraît mal en ces miroirs flatteurs,
Les visages souvent sont de doux imposteurs :
Que de défauts d'esprit se couvrent de leurs grâces,
410 Et que de beaux semblants cachent des âmes basses!
Les yeux [2] en ce grand choix ont la première part;
Mais leur déférer tout, c'est tout mettre au hasard :
Qui veut vivre en repos ne doit pas leur déplaire,
Mais, sans leur obéir, il doit les satisfaire,
415 En croire leur refus, et non pas leur aveu,
Et sur d'autres conseils laisser naître son feu.
Cette chaîne qui dure autant que notre vie,
Et qui devrait donner plus de peur que d'envie,
Si l'on n'y prend bien garde, attache assez souvent
420 Le contraire au contraire, et le mort au vivant;
Et pour moi, puisqu'il faut qu'elle me donne un maître,
Avant que [3] l'accepter je voudrais le connaître,
Mais connaître dans l'âme.

1. Sens fort et non particule de liaison : pour le *reste* (tout ce qui n'est pas l'apparence). — 2. *Les yeux*, sensibles aux apparences, représentent ici la séduction physique. La théorie de Clarice est *sage* : quand il s'agit de mariage, cette séduction ne doit pas être tyrannique *(sans leur obéir*, v. 414*)*. Elle est nécessaire (on doit *croire leur refus*, c'est-à-dire refuser qui ne plaît pas), mais insuffisante (il ne suffit pas de *leur aveu*). — 3. Devant un infinitif, l'usage hésitait entre *avant que* et *avant que de*.

● **Le décor** représente une partie de la **Place Royale,** alors rendez-vous à la mode des promeneurs et lieu d'habitation très distingué. Henri IV fit bâtir, sur l'emplacement de l'ancien Hôtel royal des Tournelles, un ensemble monumental de pavillons autour d'un vaste espace dégagé. Cette place (aujourd'hui Place des Vosges), fut inaugurée en 1612. L'élégance de ses pavillons, sa situation, tout la désignait pour devenir le quartier résidentiel de la capitale. Sully s'y retira, Richelieu lui-même y habita étant ministre, Marion Delorme y recevait. La place n'était pas encore plantée, comme de nos jours, mais une belle grille en fer forgé et doré séparait un terre-plein, propre à la promenade, du pourtour où accédaient les carrosses. Nous ignorons tout malheureusement de la façon dont cette Place était représentée sur la scène. Corneille avait déjà utilisé ce lieu à la mode dans une comédie à laquelle elle donne son titre, *la Place Royale* (1634).

● **L'action se noue** avec la demande en mariage. La scène a quelque chose d'abrupt et de rapide. Dans Alarcon, Don Beltran annonce, dès le début de la pièce, son intention de marier son fils au plus vite (acte I, sc. 2). De plus, la demande a lieu solennellement, en présence de l'oncle de Jacinta, dans sa maison. Au naturel d'une scène préparée, Corneille substitue un effet de surprise et de mystère. D'autre part, il évite de faire venir en scène le père de Clarice, bien que son existence soit mentionnée ailleurs. Cette absence n'est pas naturelle, mais Corneille obéit à un souci dramatique d'économie de personnages âgés.

ISABELLE. — Eh bien! qu'il parle à vous.
CLARICE. — Alcippe le sachant en deviendrait jaloux [1].
ISABELLE. - 425 Qu'importe qu'il le soit, si vous avez Dorante?
CLARICE. — Sa perte ne m'est pas encore indifférente [2];
Et l'accord de l'hymen entre nous concerté,
Si son père venait, serait exécuté.
Depuis plus de deux ans il promet et diffère :
430 Tantôt c'est maladie, et tantôt quelque affaire;
Le chemin est mal sûr, ou les jours sont trop courts,
Et le bonhomme enfin ne peut sortir de Tours.
Je prends tous ces délais pour une résistance,
Et ne suis pas d'humeur à mourir de constance.
435 Chaque moment d'attente ôte de notre prix,
Et fille qui vieillit tombe dans le mépris :
C'est un nom glorieux qui se garde avec honte;
Sa défaite [3] est fâcheuse à moins que d'être prompte.
Le temps n'est pas un dieu qu'elle puisse braver,
440 Et son honneur se perd à le trop conserver.
ISABELLE. — Ainsi vous quitteriez Alcippe pour un autre
De qui l'humeur aurait de quoi plaire à la vôtre?
CLARICE. — Oui, je le quitterais; mais pour ce changement
Il me faudrait en main avoir un autre amant,
445 Savoir qu'il me fût propre [4], et que son hyménée
Dût bientôt à la sienne unir ma destinée.
Mon humeur sans cela ne s'y résout pas bien;
Car Alcippe, après tout, vaut toujours mieux que rien;
Son père peut venir, quelque longtemps qu'il tarde.
ISABELLE. - 450 Pour en venir à bout sans que rien s'y hasarde,
Lucrèce [5] est votre amie, et peut beaucoup pour vous;
Elle n'a point d'amants qui deviennent jaloux :
Qu'elle écrive à Dorante et lui fasse paraître
Qu'elle veut cette nuit le voir par sa fenêtre.
455 Comme il est jeune encore, on l'y verra voler;
Et là, sous ce faux nom, vous pourrez lui parler,
Sans qu'Alcippe jamais en découvre l'adresse [6],
Ni que lui-même pense à d'autres qu'à Lucrèce.
CLARICE. — L'invention est belle, et Lucrèce aisément
460 Se résoudra pour moi d'écrire un compliment :
J'admire ton adresse à trouver cette ruse.

1. Corneille insiste sur ce trait dominant du caractère d'Alcippe. — 2. Entre le v. 426 et le v. 448, Clarice durcit sa position par le jeu naturel du discours et de la mise en forme de sa pensée. — 3. Le fait de s'en défaire. Le vers signifie : il faut se dépêcher de quitter le *nom* de *fille*, sinon on s'en débarrasse sans gloire. Mais il n'est pas impossible que Clarice joue aussi sur le sens militaire du terme. — 4. Approprié; qu'il me convienne et, réciproquement, que je lui convienne. — 5. L'emploi du prénom est un indice supplémentaire, pour le spectateur attentif. — 6. La ruse.

ISABELLE. — Puis-je vous dire encor que, si je ne m'abuse,
Tantôt cet inconnu ne vous déplaisait pas?

CLARICE. — Ah! bon Dieu! si Dorante avait autant d'appas [1],
465 Que d'Alcippe aisément il obtiendrait la place [2]!

ISABELLE. — Ne parlez point d'Alcippe; il vient.

CLARICE. — Qu'il m'embarrasse!
Va pour moi chez Lucrèce, et lui dis mon projet,
Et tout ce qu'on peut dire en un pareil sujet.

1. Ce mot s'employait aussi pour les hommes, et même pour les choses, avec le sens d'*attrait*. — 2. *La place*, parce qu'il épouse et qu'Alcippe n'épouse pas! Ce n'est pas le cœur qui parle ici.

- **La scène** suit d'assez près le modèle espagnol *(La Verdad Sospechosa*, I, 10*)*: la ruse inventée par Isabelle (v. 450 et suiv.) est plus naturelle en Espagne (où ces conversations, qui permettaient de faire connaissance sans se compromettre, étaient d'usage) qu'en France. Corneille a sans doute été sensible à ce fait, car dans l'original c'est Jacinta qui propose la ruse : la donner à Isabelle en accentue le caractère conventionnel et en fait délibérément l'élément d'un jeu.

- **Le quiproquo sur les noms** — Le public n'est pas renseigné sur l'identité des deux jeunes filles; il reconnaît l'interlocutrice du Menteur, mais quel est son nom? L'apostrophe du vers 385 est-elle suffisante pour l'instruire? Ne faut-il pas qu'il attende la fin de la scène (v. 451-458) pour deviner le quiproquo?
① Quel est l'effet de cette découverte progressive?

- **Isabelle** est la « suivante » de Clarice. Une suivante est une jeune fille de la bonne société qui, par manque de fortune, se place auprès d'une jeune fille riche dont elle devient la confidente. Corneille a consacré à ce type social une de ses premières comédies : *la Suivante*, 1633.
② Comparez son rôle et son langage avec ceux de Sabine, « femme de chambre » de Lucrèce.
Clarice reste ce qu'elle était à l'acte I, séduisante par son élégance, son charme, son esprit. Mais elle apparaît aussi sérieuse, grave; son enjouement se complète d'une véritable sagesse (voir déjà le v. 148). Le souci de ne pas rester vieille fille (v. 436), la gravité avec laquelle elle envisage le mariage (v. 416) en font un personnage prudent. Dans un développement qui est de l'invention de Corneille (v. 406-423), elle se fait l'écho de certaines revendications féminines. Pourtant elle reste sensible à l'amour, aux émois du cœur, à l'appel de l'inconnu. Tout cela en fait un personnage complexe, à la fois romanesque et réaliste.
Clarice est saisie ici à un moment de crise amoureuse. Elle est fiancée mais son mariage traîne en longueur; les déclarations de l'inconnu des Tuileries la troublent; enfin on lui demande sa main pour un inconnu. Entre l'amour profond (elle aime Alcippe, même si elle ne le sait plus), les sollicitations de l'aventure et la perspective du mariage assuré s'établit une lutte. Comparé au texte de Jacinta dans Alarcon, celui de Clarice est plus ambigu. « J'aime encore Don Juan », dit Jacinta. Chez Clarice, rien de tel. Malgré l'apparente clarté des formules, elle ne voit plus clair en elle.

Scène III. — CLARICE, ALCIPPE.

ALCIPPE. — Ah! Clarice, ah! Clarice, inconstante! volage!

CLARICE, *à part, le premier vers.*

470 Aurait-il deviné déjà ce mariage?
Alcippe, qu'avez-vous? qui [1] vous fait soupirer?

ALCIPPE. — Ce que j'ai, déloyale! et peux-tu [2] l'ignorer?
Parle à ta conscience : elle devrait t'apprendre...

CLARICE. — Parlez un peu plus bas, mon père va descendre [3].

ALCIPPE. — Ton père va descendre, âme double et sans foi!
475 Confesse que tu n'as un père que pour moi.
La nuit, sur la rivière...

CLARICE. — Eh bien! sur la rivière?
La nuit! quoi? qu'est-ce enfin?

ALCIPPE. — Oui, la nuit tout entière.

CLARICE. — Après?

ALCIPPE. — Quoi! sans rougir?

CLARICE. — Rougir! à quel propos?

ALCIPPE. 480 Tu ne meurs pas de honte, entendant ces deux mots?

CLARICE. — Mourir pour les entendre! et qu'ont-ils de funeste [4]?

ALCIPPE. — Tu peux donc les ouïr et demander le reste?
Ne saurais-tu rougir, si je ne te dis tout?

CLARICE. — Quoi, tout?

ALCIPPE. — Tes passe-temps, de l'un à l'autre bout.

CLARICE. 485 Je meure [5], en vos discours si je puis rien comprendre!

ALCIPPE. — Quand je te veux parler, ton père va descendre,
Il t'en souvient alors; le tour est excellent!
Mais pour passer la nuit auprès de ton galant...

CLARICE. — Alcippe, êtes-vous fol [6] ?

ALCIPPE. — Je n'ai plus lieu de l'être [7],
490 A présent que le Ciel me fait te mieux connaître.

---

1. Pronom neutre : qu'est-ce qui? — 2. Alcippe tutoie Clarice : c'est la marque de son emportement. Clarice le vouvoie, comme il est normal. Mais il n'est pas impossible qu'elle mette une certaine affectation à maintenir le vouvoiement pendant toute la durée de la scène, pour mieux marquer son détachement ironique. — 3. La scène est dans la rue, les appartements au premier étage. Dans Alarcon, la scène est dans la maison et l'oncle de Jacinta est dans la chambre voisine. Le mot, chez Corneille, a donc perdu de sa vraisemblance, notent certains critiques. Mais qui, dans le public, songe à s'en inquiéter? — 4. Sens étymologique : qui peut provoquer la mort. C'est une réponse au v. 480 *(tu ne meurs pas de honte?)*.— 5. Subjonctif : que je meure! — 6. On disait indifféremment *fou* ou *fol*, même devant une consonne. — 7. Jeu de mots sur *folie*. Un parfait amant est « fou d'amour ». Alcippe n'a *plus lieu de l'être*, puisqu'il est désabusé. La première édition portait : « Je le devrais bien être » qui signifie : j'aurais toutes les raisons de devenir fou de douleur et de jalousie.

Oui, pour passer la nuit en danses et festin,
Être avec ton galant du soir jusqu'au matin
(Je ne parle que d'hier [1]), tu n'as point lors de père.

CLARICE. — Rêvez-vous? raillez-vous? et quel est ce mystère?

ALCIPPE. — 495 Ce mystère est nouveau, mais non pas fort secret.
Choisis une autre fois un amant plus discret;
Lui-même il m'a tout dit.

CLARICE. — Qui, lui-même?

ALCIPPE. — Dorante

CLARICE. — Dorante!

ALCIPPE. — Continue, et fais bien l'ignorante.

CLARICE. — Si je le vis jamais et si je le connoi!...

ALCIPPE. — 500 Ne viens-je pas de voir son père avecque toi?
Tu passes, infidèle, âme ingrate et légère,
La nuit avec le fils, le jour avec le père!

CLARICE. — Son père, de vieux temps [2], est grand ami du mien.

ALCIPPE. — Cette vieille amitié faisait votre entretien?
505 Tu te sens convaincue, et tu m'oses répondre!
Te faut-il quelque chose encor pour te confondre?

---

1. Voir p. 27, n. 7. — 2. *De*puis long*temps*.

● **« La Verdad sospechosa » (I, 11) :**

JACINTA. — Passer la nuit dehors avec un autre? Prends garde! même si tu disais vrai, c'est une bien grande audace de me parler de la sorte! A plus forte raison, si c'est une folie de ton imagination.

DON JUAN. — Je sais que Garcia est l'homme de la fête du bord de l'eau. Les feux d'artifice qui partirent en salve à l'arrivée de ton carrosse, et les flambeaux qui ensoleillèrent le Bois en plein minuit, et les quatre dressoirs avec leurs vaisselles variées, les quatre tentes peuplées d'instruments et de chanteurs, je sais tout, et je sais que le jour t'a trouvée, traîtresse, au bord de la rivière! Et dis encore que c'est folie de mon imagination! Dis encore que c'est audace de te traiter de la sorte, quand mon offense et ta légèreté me contraignent à te reprocher...

JACINTA. — Plaise à Dieu...

DON JUAN. — Laisse tes mensonges. Tais-toi, ne me dis rien. Ils ne servent de rien quand l'offense est trop bien avérée. Maintenant, perfide, maintenant je connais mon malheur; ne nie pas que je t'ai perdue. Et si tu nies ce que j'ai entendu, tu avoueras ce que j'ai vu : que faisait ici son père, à cette heure? Que t'a-t-il dit? La nuit tu es avec le fils et le jour avec le père! Je l'ai vu : tu te disposes en vain à tromper mon espérance. Je sais que tes diversions sont filles de ton changement. Mais, cruelle, que le Ciel t'empêche de vivre heureuse! Embrasez-vous et puis éclatez, volcans de mes jalousies! Et que celui qui m'a rendu désespéré te perde, puisque je t'ai perdue.

JACINTA. — As-tu ton bon sens?

DON JUAN. — Comment, mon bon sens? Amoureux et désespéré!

JACINTA. — Reviens, écoute! Si la vérité s'impose, vite tu verras combien tu as été mal informé.

DON JUAN. — Je m'en vais. Ton oncle vient.

JACINTA. — Non, il ne vient pas. Écoute. Je t'assure que je te convaincrai.

DON JUAN. — C'est inutile, à moins de me donner ta main.

JACINTA. — Ma main? Mon oncle vient!

CLARICE. — Alcippe, si je sais quel visage a le fils [1]...
ALCIPPE. — La nuit était fort noire alors que tu le vis.
Il ne t'a pas donné quatre chœurs de musique,
510 Une collation superbe et magnifique,
Six services de rang [2], douze plats à chacun?
Son entretien alors t'était fort importun?
Quand ses feux d'artifice éclairaient le rivage,
Tu n'eus pas le loisir de le voir au visage?
515 Tu n'as pas avec lui dansé jusques au jour,
Et tu ne l'as pas vu pour le moins au retour?
T'en ai-je dit assez? Rougis, et meurs de honte!
CLARICE. — Je ne rougirai point pour le récit d'un conte.
ALCIPPE. — Quoi! je suis donc un fourbe, un bizarre, un jaloux?
CLARICE. - 520 Quelqu'un a pris plaisir à se jouer de vous,
Alcippe; croyez-moi.
ALCIPPE. — Ne cherche point d'excuses;
Je connais tes détours, et devine tes ruses.
Adieu : suis ton Dorante et l'aime désormais;
Laisse en repos Alcippe et n'y pense jamais.
CLARICE. - 525 Écoutez quatre mots.
ALCIPPE. — Ton père va descendre.
CLARICE. — Non, il ne descend point, et ne peut nous entendre;
Et j'aurai tout loisir de vous désabuser.
ALCIPPE. — Je ne t'écoute point, à moins que m'épouser,
A moins qu'en attendant le jour du mariage,
530 M'en donner ta parole et deux baisers en gage.
CLARICE. — Pour me justifier vous demandez de moi,
Alcippe?
ALCIPPE. — Deux baisers, et ta main, et ta foi.
CLARICE. — Que cela?
ALCIPPE. — Résous-toi, sans plus me faire attendre.
CLARICE. — Je n'ai pas le loisir, mon père va descendre [3].

SCÈNE IV. — ALCIPPE.

ALCIPPE. - 535 Va, ris de ma douleur alors que je te perds;
Par ces indignités romps toi-même mes fers;

---

1. Clarice est réellement embarrassée car, si elle ne comprend rien aux reproches d'Alcippe, le nom de Dorante dans la bouche d'Alcippe doit la gêner (voir le v. 470). Aussi se réfugie-t-elle dans ce qu'on appelle, en termes de casuistique, la réticence mentale. Alcippe sent l'embarras de Clarice; il lui cherche une raison conforme à ce qu'il croit savoir (v. 514), fausse bien sûr, et qui permet à Clarice de se ressaisir (v. 518). — 2. De suite. — 3. Cette dernière réplique, qui rompt l'entretien, traduit l'irritation de Clarice. Le jeu d'esprit de la répétition s'est chargé d'agressivité.

Aide mes feux trompés à se tourner en glace;
Aide un juste courroux à se mettre en leur place.
Je cours à la vengeance et porte à ton amant
540 Le vif et prompt effet de mon ressentiment.
S'il est homme de cœur, ce jour même [1] nos armes
Régleront par leur sort tes plaisirs ou tes larmes;
Et plutôt que le voir possesseur de mon bien,
Puissé-je dans son sang voir couler tout le mien!
545 Le voici, ce rival, que son père t'amène :
Ma vieille amitié cède à ma nouvelle haine;
Sa vue accroît l'ardeur dont je me sens brûler :
Mais ce n'est pas ici qu'il faut le quereller.

1. Aujourd'hui.

● **La jalousie d'Alcippe** est naturelle, dans la mesure où le récit de la collation est confirmé à ses yeux par la visite de Géronte.
— Mais elle est excessive : il accuse, s'emporte, devient presque grossier (v. 502), rompt (v. 523) sans entendre aucune explication, propose un mariage qu'il sait irréalisable dans l'immédiat, pour s'abandonner, dans son monologue, à une exaltation presque tragique.
— Le Don Juan d'Alarcon est plus grave. Il souffre, il se plaint autant qu'il attaque. Corneille a supprimé ces plaintes et développé les propos agressifs de son Alcippe. Sa violence n'est plus celle d'un profond amour, mais celle d'un tempérament.
C'est que la jalousie, sentiment possessif qui nie la confiance et l'estime, n'est pas, dans la littérature française des années 1640, un sentiment noble, à la différence de ce qu'il est dans la littérature espagnole. Le jaloux est un personnage ridicule (ainsi sera-t-il chez Molière).
① Analysez les éléments de ce ridicule.
② Que gagne *le Menteur* au fait qu'on n'y prenne pas le jaloux Alcippe au sérieux?

● **Clarice** se défend avec esprit des violences et des propositions d'Alcippe. Mais elle est elle-même gênée (voir l'aparté du v. 470), et Alcippe vient l'irriter de sa jalousie à un moment où elle ne voit plus clair en elle-même (toute la scène 2). Il y a donc, dans la position qu'elle adopte — désir de désabuser Alcippe, refus de s'engager —, une simplicité apparente qui cache bien des incertitudes.

● **La liaison des scènes** — Le système dramatique français impose à Corneille de nombreuses modifications. L'unité et la continuité des scènes à l'intérieur d'un acte le contraignent à en ménager les liaisons; la fin du monologue d'Alcippe n'a pas d'autre but. En effet, la dramaturgie classique n'admet plus, en 1640, que « la scène reste vide ». Mais elle admet fort bien que les personnages ne se rencontrent pas si l'un d'eux fait exprès d'éviter l'autre. C'est ce que les doctes appellent une *liaison de fuite*, dont les vers 545-548 nous offrent un exemple typique. Le raccord nous semble artificiel; pour un « régulier », il est suffisant.

Scène V. — GÉRONTE, DORANTE, CLITON.

GÉRONTE. — Dorante, arrêtons-nous; le trop de promenade
550 Me mettrait hors d'haleine, et me ferait malade.
Que l'ordre est rare et beau de ces grands bâtiments!
DORANTE. — Paris semble à mes yeux un pays de romans [1].
J'y croyais ce matin voir une île enchantée :
Je la laissai déserte, et la trouve habitée;
555 Quelque Amphion nouveau [2], sans l'aide des maçons,
En superbes palais a changé ses buissons.
GÉRONTE. — Paris voit tous les jours de ces métamorphoses :
Dans tout le Pré-aux-Clercs [3] tu verras mêmes choses,
Et l'univers entier ne peut rien voir d'égal
560 Aux superbes dehors du Palais Cardinal [4].
Toute une ville entière, avec pompe bâtie,
Semble d'un vieux fossé par miracle sortie,
Et nous fait présumer, à ses superbes toits,
Que tous ses habitants sont des dieux ou des rois.
565 Mais changeons de discours. Tu sais combien je t'aime?
DORANTE. — Je chéris cet honneur bien plus que le jour même.
GÉRONTE. — Comme de mon hymen il n'est sorti que toi,
Et que je te vois prendre un périlleux emploi,
Où [5] l'ardeur pour la gloire à tout oser convie,
570 Et force à tous moments de négliger la vie,
Avant qu'aucun malheur te puisse être avenu,
Pour te faire marcher un peu plus retenu [6],
Je te veux marier.
DORANTE. *à part.* — Oh! ma chère Lucrèce!
GÉRONTE. — Je t'ai voulu choisir moi-même une maîtresse [7],
575 Honnête, belle, riche.
DORANTE. — Ah! pour la bien choisir,
Mon père, donnez-vous un peu plus de loisir.
GÉRONTE. — Je la connais assez : Clarice est belle et sage,
Autant que dans Paris il en soit de son âge;
Son père de tout temps est mon plus grand ami,
580 Et l'affaire est conclue.

1. Les contemporains de Corneille avaient le sentiment d'assister à une transformation rapide du vieux Paris. Géronte donne des exemples (v. 558-560); Dorante, lui, donne une image poétique hyperbolique : même lorsqu'il décrit, il affabule. — 2. *Amphion*, voulant entourer Thèbes d'une muraille, vit le rempart s'élever seul pendant qu'il jouait de sa lyre. — 3. Situé sur la rive gauche de la Seine, de la rue Mazarine à la rue de Bourgogne, il fut loti et bâti autour de 1640. — 4. Devenu après la mort de Richelieu le Palais-Royal, il fut bâti entre 1629 et 1636. Le tracé de ses jardins traversait l'ancienne enceinte de Charles V dont il fallut combler les vieux fossés (le v. 562 a donc une signification précise). Tout à l'entour, le quartier se construisit rapidement et devint l'un des plus beaux de Paris (Molière habitera rue de Richelieu). — 5. Dans lequel. — 6. Avec plus de prudence. — 7. Une femme dont Dorante soit le « serviteur », en attendant de l'épouser.

DORANTE. — Ah! Monsieur, j'en frémi :
D'un fardeau si pesant accabler ma jeunesse!

GÉRONTE. — Fais ce que je t'ordonne.

DORANTE, *à part, les premiers mots.*
— Il faut jouer d'adresse.
Quoi! Monsieur, à présent qu'il faut dans les combats
Acquérir quelque nom, et signaler mon bras...

GÉRONTE. - 585 Avant qu'être au hasard qu'un autre bras t'immole,
Je veux dans ma maison avoir qui m'en console;
Je veux qu'un petit-fils puisse y tenir ton rang,
Soutenir ma vieillesse et réparer mon sang.
En un mot, je le veux.

DORANTE. — Vous êtes inflexible!

GÉRONTE. - 590 Fais ce que je te dis.

DORANTE. — Mais s'il [1] est impossible?

GÉRONTE. — Impossible! et comment?

DORANTE. — Souffrez qu'aux yeux de tous [2]
Pour obtenir pardon j'embrasse vos genoux [3].
Je suis...

GÉRONTE. — Quoi?

DORANTE. — Dans Poitiers...

GÉRONTE. — Parle donc, et te lève.

DORANTE. — Je suis donc marié, puisqu'il faut que j'achève.

---

1. Pronom neutre : cela. — 2. La scène est sur une place publique, supposée pleine de monde. Mais il y a là aussi un effet théâtral recherché par Dorante. — 3. Pose du suppliant dans la tragédie, dont Dorante parodie le style.

● **Les embellissements de Paris** — Cette entrée en matière vise un double but : provoquer dans le public un plaisir immédiat qui tient à l'actualité; contribuer au réalisme de la pièce.
① Appréciez, dans cette perspective, les nombreuses indications du texte et leur valeur évocatrice.

● **« Oh! ma chère Lucrèce »** (v. 573) — Prévenu contre tout mariage, au nom de celle qu'il aime Dorante repousse *in petto* le parti que lui propose son père, avant même de savoir de qui il s'agit. Précipitation juvénile! Mais bientôt Géronte la nomme : Clarice (v. 577); Dorante va donc s'obstiner. C'est la première incidence grave du quiproquo.
② Récapitulez les étapes de cette connaissance du quiproquo par le public.
Dorante ment par nécessité. Son troisième mensonge n'est donc pas de même nature dramatique que les précédents; c'est un stratagème dicté par l'amour. Cependant, Corneille veut que nous l'oubliions vite, pour être avant tout sensibles à la verve et à la fantaisie des mensonges de Dorante. L'intérêt d'intrigue est pour l'instant relégué à l'arrière-plan, le personnage du Rêveur occupe seul la scène.
③ En est il de même dans le texte d'Alarcon (voir les bandeaux suivants)?

GÉRONTE. — 595 Sans mon consentement?

DORANTE. — On m'a violenté :
Vous ferez tout casser par votre autorité,
Mais nous fûmes tous deux forcés à l'hyménée
Par la fatalité la plus inopinée...
Ah! si vous le saviez [1]!

GÉRONTE. — Dis, ne me cache rien.

DORANTE. — 600 Elle est de fort bon lieu, mon père; et pour son bien,
S'il n'est du tout [2] si grand que votre humeur souhaite...

GÉRONTE. — Sachons, à cela près, puisque c'est chose faite.
Elle se nomme?

DORANTE. — Orphise; et son père, Armédon.

GÉRONTE. — Je n'ai jamais ouï ni l'un ni l'autre nom.
605 Mais poursuis.

DORANTE. — Je la vis presque à mon arrivée.
Une âme de rocher ne s'en fût pas sauvée,
Tant elle avait d'appas, et tant son œil vainqueur [3]
Par une douce force assujettit mon cœur!
Je cherchai donc chez elle à faire connaissance;
610 Et les soins obligeants de ma persévérance
Surent plaire de sorte [4] à cet objet charmant,
Que j'en fus en six mois autant aimé qu'amant [5].
J'en reçus des faveurs secrètes, mais honnêtes;
Et j'étendis si loin mes petites conquêtes,
615 Qu'en son quartier [6] souvent je me coulais [7] sans bruit,
Pour causer avec elle une part de la nuit.
Un soir que je venais de monter dans sa chambre,
(Ce fut, s'il m'en souvient, le second de septembre;
Oui, ce fut ce jour-là que je fus attrapé [8]),
620 Ce soir même son père en ville avait soupé;
Il monte à son retour, il frappe à la porte : elle [9]
Transit, pâlit, rougit, me cache en sa ruelle [10],
Ouvre enfin, et d'abord (qu'elle eut d'esprit et d'art!)
Elle se jette au cou de ce pauvre vieillard,
625 Dérobe en l'embrassant son désordre à sa vue :
Il se sied; il lui dit qu'il veut la voir pourvue [11];
Lui propose un parti qu'on lui venait d'offrir.
Jugez combien mon cœur avait lors à souffrir!

---

1. Dorante le sait-il lui-même, à ce moment? Il gagne du temps. — 2. Tout à fait. — 3 Ces images paraissaient naturelles à l'époque. Il n'y a aucune parodie dans ces vers, au contraire fort poétiques. — 4. *De sorte* est à rapprocher de *que* (v. 612); de telle sorte que. — 5. J'en fus aimé autant que je l'aimais. — 6. Appartement. — 7. *Se couler* : se glisser à la dérobée. — 8. Le mot était moins familier que de nos jours. — 9. Ce contre-rejet est d'une singulière audace, comme le rythme du vers suivant. — 10. Au sens précis du terme : espace ménagé entre le lit et la muraille. — 11. *Pourvue* d'un mari, mariée.

● « La Verdad sospechosa » (II, 9) :

DON BELTRAN. — Et maintenant, pour vous montrer que je veille à votre bien, sachez que j'ai arrangé pour vous un beau mariage.
DON GARCIA, *à part.* — Ay! ma chère Lucrecia!
DON BELTRAN. — Jamais le Ciel n'a mis tant de divines qualités en un seul être humain comme il l'a fait en Jacinta, la fille de Fernando Pacheco, de qui ma vieillesse attend la joie d'avoir des petits enfants.
DON GARCIA, *à part.* — Ay, Lucrecia! S'il est possible, toi seule dois être ma maîtresse...
DON BELTRAN. — Qu'est-ce là? Vous ne répondez pas?
DON GARCIA, *à part.* — ... et je dois t'appartenir.
DON BELTRAN. — Pourquoi cet air triste? Parlez. Ne me laissez pas davantage dans l'incertitude.
DON GARCIA. — Je suis triste parce qu'il m'est impossible de vous obéir.
DON BELTRAN. — Pourquoi?
DON GARCIA. — Parce que je suis marié.
DON BELTRAN. — Marié? Par le Ciel qu'est-ce là? Et comment? sans que je le sache?
DON GARCIA. — J'y fus contraint et le mariage est resté secret.
DON BELTRAN. — Y a-t-il père plus malheureux que moi!
DON GARCIA. — Ne vous affligez pas; quand vous en connaîtrez la cause, Seigneur, vous tiendrez le résultat pour heureux.
DON BELTRAN. — Achève donc. Ma vie est suspendue à un fil.
DON GARCIA, *à part.* — Maintenant j'ai besoin de vous, subtilités de mon esprit. (*Haut.*) A Salamanque, Seigneur, existe un noble cavalier de la famille de Herrera, dont le nom propre est Pedro. Le Ciel lui a donné pour fille un autre ciel dont les yeux, comme deux soleils, font de ses joues empourprées de lumineux horizons... J'abrège pour aller au fait; il me suffit de dire que toutes les qualités que la nature peut donner dans un âge tendre, elle les a. Mais la fortune ennemie, adversaire de ses mérites, l'a faite pauvre de ses biens : outre que sa maison n'est pas aussi riche qu'elle est noble, il est né avant elle deux jeunes gens, à qui revient le droit d'aînesse. Un soir qu'elle était sortie au bord de la rivière, je la vis dans son carrosse que j'aurais cru le char de Phaéton, si le Tormes avait pu être l'Éridan. Je ne sais qui a donné le feu pour attribut au Dieu de l'Amour, car je me sentis pénétré d'un froid de glace sur-le-champ. Pourquoi tient-on à voir les ardeurs et les agitations du feu dans une âme qui reste paralysée, dans un corps qui demeure immobile? Ce fut mon sort de la voir; en la voyant, d'être aveuglé d'amour; puis, enflammé, de la suivre. Qu'un cœur de bronze juge cela! Je passai dans sa rue de jour, j'y rôdai la nuit. Par des intermédiaires et des billets, je lui recommandai ma passion, si bien qu'à la fin — fut-ce pitié, fut-ce amour — elle y répondit, car l'Amour étend son pouvoir également sur les dieux. Je redoublai ma cour, elle accrut sa faveur, jusqu'au point que je me trouvai placé dans le ciel de son appartement, une nuit. Alors que mes désirs ardents, sollicitant le terme de mes peines, allaient l'emporter sur ses scrupules, j'entends son père entrer chez elle. Il ne le faisait jamais, mais mon destin l'y appela cette nuit-là. Elle, troublée mais audacieuse, femme enfin, dissimule violemment mon corps quasi-mort derrière son lit. Don Pedro entre, et sa fille, feignant le plaisir de le voir, se jette à son cou pour lui cacher son visage pendant qu'elle reprend ses couleurs. Ils s'asseyent tous deux; il lui dit, avec de sages raisons, qu'il veut la marier à l'un des fils de la famille des Monroy. Elle, honnête autant que prudente, trouve une réponse qui, sans l'offenser, ménage notre amour. Là-dessus, ils se quittent, et déjà le vieillard avait les pieds sur le seuil de la porte que... Maudit soit le premier inventeur des montres! J'en avais une qui se mit à sonner minuit! Don Pedro l'entendit et revint vers sa fille : « D'où vous vient cette montre? » dit-il. Elle répondit : « C'est mon cousin Don Diego Ponce qui me l'a envoyée pour la faire réparer, car il n'y a dans son pays ni horloges ni horlogers ». « Donnez-la moi, dit son père, je me chargerai de cette commission ». Alors Doña Sancha (c'est le nom de cette personne), pour l'ôter de ma poche, accourt, prudemment mais rapidement, avant que son père ait l'idée de venir la prendre. Je la tire de mon habit moi-même, mais en la lui donnant, le sort voulut que la chaîne frappât un pistolet que j'avais en la main : le chien tomba, le feu prit. A la détonation Doña Sancha perdit connaissance; affolé, le vieillard se mit à appeler; et moi, voyant mon ciel par terre, éclipsés mes deux soleils, je crus qu'elle était morte par ma faute, et que les balles de mon pistolet avaient commis ce sacrilège. Désespéré je tirai l'épée avec rage, et c'eût été peu pour moi que mille adversaires! (suite p. 61).

Par sa réponse adroite elle sut si bien faire,
630 Que sans m'inquiéter elle plut à son père.
Ce discours ennuyeux [1] enfin se termina;
Le bonhomme partait, quand ma montre sonna;
Et lui, se retournant vers sa fille étonnée [2] :
« Depuis quand cette montre? Et qui vous l'a donnée?
635 — Acaste, mon cousin, me la vient d'envoyer,
Dit-elle, et veut ici la faire nettoyer,
N'ayant point d'horlogiers [3] au lieu de sa demeure :
Elle a déjà sonné deux fois en un quart d'heure [4].
— Donnez-la moi, dit-il, j'en prendrai mieux le soin. »
640 Alors pour me la prendre elle vient en mon coin :
Je la lui donne en main; mais voyez ma disgrâce,
Avec mon pistolet le cordon [5] s'embarrasse,
Fait marcher le déclin [6] : le feu prend, le coup part;
Jugez de notre trouble à ce triste hasard.
645 Elle tombe par terre; et moi, je la crus morte.
Le père épouvanté gagne aussitôt la porte;
Il appelle au secours, il crie à l'assassin :
Son fils et deux valets me coupent le chemin.
Furieux de ma perte, et combattant de rage,
650 Au milieu de tous trois je me faisais passage,
Quand un autre malheur de nouveau me perdit;
Mon épée en ma main en trois morceaux rompit.
Désarmé, je recule, et rentre : alors Orphise,
De sa frayeur première aucunement [7] remise,
655 Sait prendre un temps si juste en son reste d'effroi,
Qu'elle pousse la porte et s'enferme avec moi.
Soudain nous entassons, pour défenses nouvelles,
Bancs, tables, coffres, lits, et jusqu'aux escabelles :
Nous nous barricadons, et, dans ce premier feu [8],
660 Nous croyons gagner tout à différer un peu.
Mais comme à ce rempart l'un et l'autre travaille,
D'une chambre voisine on perce la muraille :
Alors, me voyant pris, il fallut composer [9].
(Ici Clarice les voit de sa fenêtre; et Lucrèce, avec Isabelle, les voit aussi de la sienne [10].)

GÉRONTE. — C'est-à-dire, en français, qu'il fallut l'épouser?

1. Sens fort : insupportable. — 2. Paralysée de frayeur. — 3. Horlog*ers* (1656). — 4. Orphise ment aussi bien que Dorante. — 5. La chaîne de la montre. — 6. Ressort qui fait abattre le chien sur l'amorce; cf. le mot moderne *déclic*. — 7. *Aucunement* (sans négation) : en quelque sorte, en partie. — 8. Cette ardeur. — 9. S'accommoder. — 10. Cette indication a une double importance : d'abord, les jeunes filles identifient Dorante avec l'inconnu des Tuileries et découvrent ainsi sa fourberie. Ensuite, Clarice est seule, sa suivante Isabelle se trouve chez Lucrèce : c'est la première étape de la réalisation du projet d'où sortira le billet de la scène 7 (voir aussi III, 3).

● **« La Verdad sospechosa »** (suite de la p. 59):

DON GARCIA. — ... Pour me barrer la sortie, ses deux frères, comme deux lions, me font face, avec leurs armes, et leurs domestiques. Pourtant il était facile à mon épée et à ma fureur de rompre leur résistance, mais il n'y a pas de force humaine qui arrête les dispositions du destin. Car au moment où je passais la porte, comme un beau diable, un clou du heurtoir me retint par mon baudrier; pour me dégager je fus contraint de me retourner, mes adversaires en profitèrent pour dresser devant moi un mur d'épées. A ce moment Sancha reprit ses esprits et, pour empêcher la triste fin que promettaient tous ces malheurs affreux, elle ferma vivement la porte de l'appartement et m'enferma avec elle, laissant dehors tous mes agresseurs. Nous entassons derrière la porte malles, coffres et caisses; car le remède aux colères violentes est de gagner du temps. Nous voulions nous fortifier, mais mes farouches ennemis déjà abattent la cloison, déjà enfoncent la porte. Moi, voyant que nous pouvions retarder mais non éviter la vengeance d'ennemis aussi offensés et aussi nobles; voyant à mes côtés la belle compagne de mes malheurs, dont la peur avait privé les joues de leur incarnat; voyant que, sans avoir commis de faute, elle partageait ma fortune et qu'elle s'efforçait avec habileté à déjouer le destin; pour donner une récompense à sa loyauté et mettre un terme à sa frayeur, pour trouver remède à ma mort et donner la mort à mes tourments, je n'eus d'autre ressource que de me rendre et de demander à mes adversaires qu'ils apaisent par l'union de nos sangs de si sanglantes discordes. Eux, qui voient le péril et connaissent ma qualité, acceptent, non sans discussion. Le père partit rendre compte de l'aventure à l'évêque et revint avec ordre à tout prêtre de célébrer le mariage. Il se fit, et notre guerre mortelle se mua en une douce paix, te donnant la meilleure bru qu'on puisse trouver du Sud au Nord de l'Espagne. Nous restâmes d'accord pour te laisser ignorer la chose, car elle pouvait n'être pas de ton goût et mon épouse était pauvre. Mais maintenant que j'ai été forcé de tout te dire, considère si tu préfères un fils mort à un fils vivant et marié à une noble femme.

① Comparez les deux textes et montrez que les modifications apportées par Corneille vont dans ce sens : moins de réalisme moral, davantage de jeu et d'invention.

● **Le Menteur à l'œuvre, ou le plaisir d'être bon comédien**

— **Dorante ment avec habileté.** Il essaie d'abord différents personnages successifs : celui qui n'est pas pressé de se marier (v. 576), qui feint de refuser les responsabilités du mariage (v. 581); il invoque sa récente vocation militaire (v. 583). Puis il décide de se dire marié, mais il compose son personnage avec soin : fils soumis et qui sent l'énormité de sa faute (v. 592), prêt à se plier aux volontés de son père (v. 596), prévoyant les objections (v. 600), s'avouant victime de la fatalité (v. 598). Dans le récit enfin, il multiplie les petits détails vraisemblables (la date par exemple, v. 618), il dote ses personnages d'un caractère qui incite à l'indulgence (la tendresse de l'amour, le respect des parents, le courage en face du destin), il exploite à fond le thème de la fatalité.

② Montrez qu'à ce niveau, Corneille ne fait que suivre ou développer son modèle.

— Mais Dorante avait-il besoin de tant de péripéties romanesques s'il voulait simplement convaincre son père? **Dorante se donne la comédie** à lui-même.

③ Montrez que Dorante se dédouble davantage que Don Garcia et, que le plaisir de mentir est plus sensible dans son récit.

④ Étudiez dans cette perspective la distribution des répliques, le jeu des rimes et des rythmes, les coupes, les parenthèses, les exclamations. Montrez que l'accord entre le fond et la forme du récit procède ici d'un art volontairement visible, celui d'un comédien qui force imperceptiblement ses effets, et traduit le plaisir intérieur qu'il prend à bien mentir.

DORANTE. - 665 Les siens m'avaient trouvé de nuit seul avec elle,
Ils étaient les plus forts, elle me semblait belle,
Le scandale était grand, son honneur se perdait;
A ne le faire pas ma tête en répondait;
Ses grands efforts pour moi, son péril, et ses larmes,
670 A mon cœur amoureux étaient de nouveaux charmes :
Donc, pour sauver ma vie ainsi que son honneur,
Et me mettre avec elle au comble du bonheur,
Je changeai d'un seul mot la tempête en bonace [1],
Et fis ce que tout autre aurait fait à ma place.
675 Choisissez maintenant de me voir ou mourir,
Ou posséder un bien qu'on ne peut trop chérir.

GÉRONTE. — Non, non, je ne suis pas si mauvais [2] que tu penses,
Et trouve en ton malheur de telles circonstances
Que mon amour t'excuse; et mon esprit touché
680 Te blâme seulement de l'avoir trop caché.

DORANTE. — Le peu de bien qu'elle a me faisait vous le taire.

GÉRONTE. — Je prends peu garde au bien, afin d'être bon père.
Elle est belle, elle est sage, elle sort de bon lieu,
Tu l'aimes, elle t'aime; il [3] me suffit. Adieu :
685 Je vais me dégager [4] du père de Clarice.

SCÈNE VI. — DORANTE, CLITON.

DORANTE. — Que dis-tu de l'histoire, et de mon artifice?
Le bonhomme en tient-il [5]? m'en suis-je bien tiré?
Quelque sot en ma place y serait demeuré;
Il eût perdu le temps à gémir et se plaindre,
690 Et, malgré son amour, se fût laissé contraindre.
Oh! l'utile secret que mentir à propos!

CLITON. — Quoi! ce que vous disiez n'est pas vrai?

DORANTE. — Pas deux mots;
Et tu ne viens d'ouïr qu'un trait de gentillesse [6]
Pour conserver mon âme et mon cœur à Lucrèce.

CLITON. - 695 Quoi! la montre, l'épée, avec le pistolet...

DORANTE. — Industrie.

CLITON. — Obligez [7], Monsieur, votre valet :
Quand vous voudrez jouer de ces grands coups de maître,
Donnez-lui quelque signe à les pouvoir connaître;
Quoique bien averti, j'étais dans le panneau [8].

1. Calme de la mer après l'orage. Corneille recourt souvent à cette image. — 2. Méchant, rigoureux. — 3. Pronom neutre : cela. — 4. *Dégager* ma parole. — 5. *En tenir :* être dupé. — 6. Adresse, ou *industrie* (v. 696). — 7. Rendez service à. — 8. Sorte de piège fait de *pans* de filets; par extension, toute sorte de piège. L'expression est familière.

DORANTE. — [700] Va, n'appréhende pas d'y tomber de nouveau :
Tu seras de mon cœur l'unique secrétaire [1]
Et de tous mes secrets le grand dépositaire.

CLITON. — Avec ces qualités j'ose bien espérer
Qu'assez malaisément je pourrai m'en parer [2].
[705] Mais parlons de vos feux. Certes cette maîtresse...

---

1. Au sens étymologique : confident des *secrets* de quelqu'un. Dorante est-il sincère en prenant cet engagement? — 2. Me protéger grâce à elles. La phrase est ironique.

● **Le Menteur à l'œuvre** (suite de la p. 61).

— Dorante enfin est **pris à son jeu**. Il s'évade dans l'imaginaire, invente pour lui, revit la scène, et l'ordonne comme un créateur soucieux de perfection. En même temps l'émotion le gagne devant l'idéale Orphise qu'il vient d'inventer : il se montre lyrique, la plaisanterie cesse d'être une comédie pour devenir un poème (v. 665-674 notamment).

① Étudiez, dans le jeu des sonorités, des rythmes et du vocabulaire, le mélange de l'émotion et de la désinvolture chez Dorante.

— Dorante **dépose le masque** (v. 686). La brusquerie de ce vers révèle un Dorante qui est resté lucide et conscient de ses effets, même quand il s'abandonnait à son jeu. Ce dédoublement, révélé ici après coup, n'est pas contradictoire. C'est le paradoxe de tout vrai comédien.

● **Géronte**, à la fin de la scène comme au début, se montre affectueux, sensible, débonnaire. Il sait manifester son autorité (v. 582-594), mais il la fait céder devant les faits (v. 602) et accepte de bon cœur une bru qui fait le bonheur de son fils. Il n'est pas en lui-même ridicule.

Mais il est singulièrement **passif.** Corneille ne lui donne aucune réaction d'opposition, même temporaire : aucune trace de l'embarras où il se trouve désormais devant le père de Clarice. Corneille rejette son personnage à l'arrière-plan.

De plus, le jeu de Dorante est si évident pour les spectateurs que la confiance de Géronte est ressentie par eux comme de la crédulité excessive. Le personnage prend une teinte certaine de **ridicule**, surtout lorsqu'il reconnaît à son fils les circonstances atténuantes sur lesquelles celui-ci a si fortement insisté (v. 678).

Corneille utilise Géronte pour définir Dorante : il oppose le bon sens pratique du père et son goût du mot simple aux enjolivements du fils. Notez la plaisante rupture du vers 664, et l'art de résumer en deux vers toute la teneur du récit (v. 683 684). Géronte ici, comme ailleurs Cliton, sert à mesurer et à mieux apprécier le charme de Dorante.

● **La scène** 6 est de l'invention de Corneille. La présence de Cliton, que rend nécessaire la scène suivante, permet ici un effet comique aisé auquel on sent que Corneille n'a pas résisté. C'est de surcroît une préparation aux scènes du début de l'acte IV, où Dorante abusera directement Cliton. De plus, il n'est pas impossible que le public, prévenu pourtant lui aussi, se soit laissé prendre à oublier le menteur pour croire le poète. Le comique de la scène vient donc de ce que Cliton, avec sa verve populaire, traduit sur le théâtre une réaction que le public ose à peine s'avouer à lui-même.

Scène VII. — DORANTE, CLITON, SABINE.

SABINE, *elle lui donne un billet.*
— Lisez ceci, Monsieur.

DORANTE. — D'où vient-il?

SABINE. — De Lucrèce.

DORANTE, *après l'avoir lu.*
Dis-lui que j'y viendrai.
(Sabine rentre, et Dorante continue.)
Doute encore, Cliton,
A laquelle des deux appartient ce beau nom.
Lucrèce sent sa part des feux qu'elle fait naître [1]
710 Et me veut cette nuit parler par sa fenêtre.
Dis encor que c'est l'autre, ou que tu n'es qu'un sot.
Qu'aurait l'autre à m'écrire [2], à qui je n'ai dit mot?

CLITON. — Monsieur, pour ce sujet n'ayons point de querelle :
Cette nuit, à la voix, vous saurez si c'est elle.

DORANTE. — 715 Coule-toi là dedans, et de quelqu'un des siens
Sache subtilement sa famille et ses biens [3].

Scène VIII. — DORANTE, LYCAS.

LYCAS, *lui présentant un billet.*
— Monsieur.

DORANTE [4]. — Autre billet.
(*Il continue, après avoir lu tout bas le billet.*)
J'ignore quelle offense
Peut d'Alcippe avec moi rompre l'intelligence;
Mais n'importe, dis-lui que j'irai volontiers.
720 Je te suis.
(*Lycas rentre, et Dorante continue seul.*)
Je revins hier au soir de Poitiers,
D'aujourd'hui seulement je produis mon visage,
Et j'ai déjà querelle, amour et mariage :
Pour un commencement ce n'est point mal trouvé.

---

1. Éprouve une partie de l'amour *qu'elle fait naître.* — 2. Quelle raison *l'autre* aurait-elle de *m'écrire*, elle *à qui*... — 3. L'amour ne rend pas Dorante indifférent aux problèmes économiques du mariage. Le départ de Cliton est important : il ignorera tout du duel. — 4. Variante (1644-1656) :

DORANTE. — *Autre billet.*
(Billet d'Alcippe à Dorante :)
« *Une offense reçue*
Me fait l'épée en main souhaiter votre vue.
Je vous attends au mail. ALCIPPE. »

DORANTE, après avoir lu.
— *Oui, volontiers.*
Je te suis. Hier au soir je revins de Poitiers...

Vienne encore un procès, et je suis achevé.
725 Se charge qui voudra d'affaires plus pressantes,
Plus en nombre à la fois et plus embarrassantes :
Je pardonne à qui mieux s'en pourra démêler.
Mais allons voir celui qui m'ose quereller.

- **Le rebondissement du quiproquo** — Dorante croit toujours que celle qu'il aime se nomme Lucrèce (v. 694). Le billet qu'il reçoit d'elle, et qui n'est que l'effet de la ruse de Clarice (voir la sc. 2, et l'indication du v. 663), entretient la confusion. La remarque de Cliton (v. 713-714), qui suggère qu'on l'identifiera à la voix, prépare la continuation du quiproquo. Mais, en même temps, l'insistance que Cliton met à douter (v. 707) entretient le public dans la méfiance.

- **La fin de l'acte** — L'extrême rapidité des deux scènes 7 et 8 et leur évident parallélisme créent, à la fin de l'acte, un très heureux effet d'accélération et d'accumulation, en contraste avec la scène 5. L'épisode des deux billets existe chez Alarcon. Mais il est situé différemment, au début d'un long tableau. En les utilisant en fin d'acte, Corneille relance l'intérêt d'intrigue avant l'entracte.
Cette intrigue se développe toujours sur deux plans: celui d'une intrigue amoureuse et celui d'une rivalité, toutes deux nées d'un mensonge et d'un quiproquo d'identité. Il y a un parallélisme entre la fin de cet acte et celle de l'acte I. Mais la situation s'est embrouillée de par l'initiative des femmes, et l'on imagine que Géronte, porteur de la nouvelle du mariage de Dorante, va encore la compliquer. Cette fin d'acte correspond donc bien aux exigences de la dramaturgie classique : l'intérêt reste en suspens. Pour Dorante cependant, *tout est simple*. Il a trois affaires qui, pour lui, sont *séparées l'une de l'autre* : intrigue amoureuse avec celle qu'il nomme Lucrèce; projet de mariage, qu'il a su repousser, avec celle que son père nomme Clarice; duel dont il ignore la cause. Il peut être fier de lui et s'abandonner à un mouvement de fatuité juvénile. Grâce à ses mensonges il est « lancé ».
① Appréciez l'effet comique que Corneille tire du contraste entre la complexité de la situation et l'assurance de Dorante. Un tel contraste pourrait mettre en relief le ridicule d'un personnage : pourquoi n'en est-il rien dans le cas de Dorante?

ACTE III

SCÈNE PREMIÈRE. — DORANTE, ALCIPPE, PHILISTE.

PHILISTE. — Oui, vous faisiez tous deux en hommes de courage [1],
730 Et n'aviez l'un ni l'autre aucun désavantage.
Je rends grâces au Ciel de ce qu'il a permis
Que je sois survenu pour vous refaire amis,
Et que, la chose égale [2], ainsi je vous sépare :
Mon heur en est extrême, et l'aventure [3] rare.

DORANTE. — 735 L'aventure est encor bien plus rare pour moi,
Qui lui faisais raison sans avoir su de quoi [4].
Mais, Alcippe, à présent tirez-moi hors de peine :
Quel sujet aviez-vous de colère ou de haine?
Quelque mauvais rapport m'aurait-il pu noircir?
740 Dites, que devant lui je vous puisse éclaircir.

ALCIPPE. — Vous le savez assez.

DORANTE. — Plus je me considère,
Moins je découvre en moi ce qui vous peut déplaire.

ALCIPPE. — Eh bien! puisqu'il vous faut parler plus clairement,
Depuis plus de deux ans j'aime secrètement;
745 Mon affaire est d'accord [5] et la chose vaut faite [6];
Mais pour quelque raison nous la tenons secrète.
Cependant à l'objet [7] qui me tient sous sa loi,
Et qui sans me trahir ne peut être qu'à moi,
Vous avez donné bal, collation, musique;
750 Et vous n'ignorez pas combien cela me pique,
Puisque, pour me jouer un si sensible tour,
Vous m'avez à dessein caché votre retour,
Et n'avez aujourd'hui [8] quitté votre embuscade [9]
Qu'afin de m'en conter l'histoire par bravade.
755 Ce procédé m'étonne, et j'ai lieu de penser
Que vous n'avez rien fait qu'afin de m'offenser.

DORANTE. — Si vous pouviez encor douter [10] de mon courage,
Je ne vous guérirais ni d'erreur ni d'ombrage,

---

1. Ils se battaient en duel lorsque Philiste est survenu. — 2. Aucun des deux ne l'emportant sur l'autre. — 3. La rencontre des circonstances. — 4. Variante (1644) :

« Qui me battais à fr*oid* et sans savoir pourqu*oi*. »

La première version est plus expressive, Corneille a-t-il voulu supprimer la rime intérieure? — 5. Nous nous sommes mis d'*accord*. — 6. *La chose* équivaut à une chose *faite*, elle est pratiquement faite.— 7. La femme. — 8. Le matin-même (acte I, sc. 5). Nous sommes le soir, et la nuit va bientôt tomber (v. 841). Corneille souligne, par des indications précises, l'unité de temps de sa pièce. — 9. Sens étymologique : cachette. — 10. S'ils n'avaient pas déjà tiré l'épée, Dorante n'accepterait pas d'avoir à se justifier, ce serait une lâcheté. Mais après le duel, où il a pu montrer son courage, il peut donner des explications.

Et nous nous reverrions [1], si nous étions rivaux;
760 Mais comme vous savez tous deux ce que je vaux,
Écoutez en deux mots l'histoire démêlée [2] :
Celle que cette nuit sur l'eau j'ai régalée [3]
N'a pu vous donner lieu de devenir jaloux,
Car elle est mariée, et ne peut être à vous.
765 Depuis peu pour affaire elle est ici venue,
Et je ne pense pas qu'elle vous soit connue.

ALCIPPE. — Je suis ravi, Dorante, en cette occasion,
De voir finir sitôt notre division.

DORANTE. — Alcippe, une autre fois donnez moins de croyance
770 Aux premiers mouvements de votre défiance;
Jusqu'à mieux savoir tout sachez vous retenir,
Et ne commencez plus par où l'on doit finir.
Adieu : je suis à vous.

---

1. Sur le terrain, pour un duel. — 2. Éclaircie.— 3. A qui j'ai donné le *régal* d'une fête.

- **Les scènes 1 et 2 de l'acte III** sont traduites de l'espagnol. Mais Corneille introduit une modification importante : dans *la Verdad sospechosa*, Don Juan et Don Garcia se rencontrent sur le lieu du duel, ils s'expliquent, mais après l'explication Don Garica exige qu'ils se battent quand même. Don Félix intervient alors pour les séparer. La cause de cette modification est peut-être d'ordre technique : l'unité de lieu empêche Corneille de nous emmener sur le lieu du duel; la vraisemblance empêche les personnages de dégaîner sous les fenêtres de Clarice; la bienséance interdit la représentation même du duel. Mais c'est le résultat qui compte, dans l'image légèrement différente qu'il donne de Dorante : la simple bravoure, à la française, remplace chez lui l'orgueil espagnol.
- **Alcippe** (v. 743-756) continue de se montrer le jaloux que nous connaissons. Corneille s'amuse à souligner son goût du mystère (v. 744), son instinct possessif (v. 748); les intentions qu'il prête à Dorante (*à dessein*, v. 752; *par bravade*, v. 754) sont également révélatrices de son caractère ombrageux. Ces notations soulignent l'humour avec lequel Corneille traite son personnage.
① Montrez qu'Alcippe reste le personnage excessif et monomane que le public ne prend pas vraiment au sérieux.
- **Dorante** s'est battu en duel sans savoir pourquoi. Il obéit en cela aux conceptions aristocratiques de la bravoure et, s'il ment, il ne le fait pas pour se tirer d'une affaire dangereuse : il a grand souci de ne jamais mentir par lâcheté. *Vous savez tous deux ce que je vaux* (v. 760) n'est ni vantardise, ni simple fatuité. C'est une affirmation de grandeur.
En outre, il donne une leçon à Alcippe. Il voit le défaut du personnage et le reprend ironiquement (*ombrage*, v. 758). Ainsi c'est lui, le menteur, qui a le beau rôle! Il sort en paradant (v. 769-773).
② Déterminez le comique de cette scène en fonction de la situation et des personnages.

SCÈNE II. — ALCIPPE, PHILISTE.

PHILISTE. — Ce cœur encor soupire!
ALCIPPE. — Hélas! je sors d'un mal pour tomber dans un pire.
775 Cette collation, qui l'aura pu donner?
A qui puis-je m'en prendre? et que m'imaginer?
PHILISTE. — Que l'ardeur de Clarice est égale à vos flammes.
Cette galanterie était pour d'autres dames.
L'erreur de votre page [1] a causé votre ennui [2],
780 S'étant trompé lui-même, il vous trompe après lui.
J'ai tout su de lui-même et des gens de Lucrèce.
Il avait vu chez elle entrer votre maîtresse;
Mais il n'avait pas vu qu'Hippolyte et Daphné,
Ce jour-là, par hasard, chez elle avaient dîné.
785 Il les en voit sortir, mais à coiffe abattue [3],
Et sans les approcher il suit de rue en rue;
Aux couleurs [4], au carrosse, il ne doute de rien;
Tout était à Lucrèce et le dupe si bien
Que, prenant ces beautés pour Lucrèce et Clarice,
790 Il rend à votre amour un très mauvais service.
Il les voit donc aller jusques au bord de l'eau,
Descendre de carrosse, entrer dans un bateau;
Il voit porter des plats, entend quelque musique
(A ce que l'on m'a dit, assez mélancolique [5]).
795 Mais cessez d'en avoir l'esprit inquiété;
Car enfin le carrosse avait été prêté :
L'avis se trouve faux; et ces deux autres belles
Avaient en plein repos passé la nuit chez elles.
ALCIPPE. — Quel malheur est le mien! Ainsi donc sans sujet
800 J'ai fait ce grand vacarme [6] à ce charmant objet?
PHILISTE. — Je ferai votre paix. Mais sachez autre chose :
Celui qui de ce trouble est la seconde cause,
Dorante, qui tantôt nous a en tant conté
De son festin superbe et sur l'heure apprêté,

1. Seuls, les princes ou les grands seigneurs avaient des pages. Le mot serait-il ici employé pour désigner un jeune domestique? Mais rien n'empêche celui que Corneille baptise Alcippe d'être un grand seigneur, comme le Don Juan de Sosa d'Alarcon, à qui le détail, et le mot même de *page*, sont empruntés. — 2. Inquiétude. — 3. Variante (1644-1656) :

Comme il en voit sortir ces deux beautés masquées
Sans les avoir au nez de plus près remarquées,
Voyant que le carrosse, et chevaux, et cocher,
Étaient ceux de Lucrèce, il suit sans s'approcher
Et, les prenant ainsi pour Lucrèce et Clarice...

Corneille, amené à revoir ces vers pour en ôter quelques négligences et familiarités (*au nez*), substitue au masque traditionnel le détail pittoresque de la *coiffe*, alors fort à la mode. — 4. *Couleurs* des livrées. — 5. Ce n'est pas « une musique triste, mais une triste musique, c'est-à-dire une musique médiocre », selon Marty-Laveaux. — 6. Querelle jalouse.

805 Lui qui, depuis un mois nous cachant sa venue,
La nuit, *incognito*[1], visite une inconnue,
Il vint hier de Poitiers et, sans faire aucun bruit,
Chez lui paisiblement a dormi toute nuit[2].

ALCIPPE. — Quoi! sa collation....

PHILISTE. — N'est rien qu'un pur mensonge;
810 Ou, quand il l'a donnée, il l'a donnée en songe.

ALCIPPE. — Dorante, en ce combat si peu prémédité,
M'a fait voir trop de cœur pour tant de lâcheté.
La valeur n'apprend point la fourbe[3] en son école :
Tout homme de courage est homme de parole;

---

1. Philiste reprend ironiquement le mot (voir le v. 257) parce que ce néologisme, dans la bouche de Dorante, lui a paru une affectation. — 2. *Toute* la *nuit*. — 3. Le mot s'emploie plus fréquemment comme adjectif. Comme nom, il est synonyme de fourberie (voir le v. 877).

● **Le dénouement d'une intrigue** — Jusqu'alors, Dorante était entraîné dans deux intrigues parallèles. L'explication de la scène 2 dégage Alcippe de tout soupçon jaloux sur Clarice et de toute rivalité avec Dorante. C'est bien un dénouement que cette scène. Désormais, Alcippe ne comptera plus guère : il fera deux apparitions : pour annoncer que son mariage avec Clarice est désormais possible (IV, 2), et pour se marier (V, 7).

● **Le récit de Philiste** (v. 777-798) — C'est un agréable tableau de mœurs. Les noms d'*Hippolyte* et de *Daphné* sont des pseudonymes à la grecque, comme ceux de Clarice ou Philiste. Ils ne doivent pas abuser sur la réalité de la scène, romanesque par la situation, pittoresque par les détails donnés. Accessoire par rapport à l'action de la pièce, le récit a la longueur convenable : suffisamment développé pour piquer l'imagination du spectateur, sans ornement inutile qui ralentisse la scène. C'est par son ton qu'il s'intègre dans la comédie. Philliste s'amuse à évoquer une scène dont le dénouement est heureux pour son ami.

● **La « fourbe » de Dorante** — Philiste et Alcippe sont les premiers personnages à être désabusés sur le compte de Dorante. Si Philiste se contente d'en rire (v. 809-810), la réaction d'Alcippe est intéressante (v. 811-817). Car il ne manifeste aucune indignation (il en a été victime pourtant), mais simplement de l'étonnement devant la contradiction apparente qui existe entre la bravoure de Dorante et sa fourberie, qu'il qualifie de lâcheté. C'est la réaction d'un homme d'honneur, qui tient à sa *parole* (v. 814) selon un code social précis. Il ne comprend pas que Dorante se place au-dessus de ce code, avec une liberté proprement héroïque, au nom de laquelle le mensonge gratuit est l'équivalent, dans le registre comique, de ce qu'est la gloire dans le registre tragique. Mais s'il ne le comprend pas, il est le seul à le pressentir, en refusant la condamnation qu'implique, pour le commun, l'accusation de fourberie.

① Estimez-vous que la réponse de Philiste au vers 818 (traduite textuellement de l'espagnol) rende compte de ce qu'est réellement Dorante?

815 A des vices si bas il ne peut consentir,
Et fuit plus que la mort la honte de mentir.
Cela n'est point.

PHILISTE. — Dorante, à ce que je présume,
Est vaillant par nature et menteur par coutume.
Ayez sur ce sujet moins d'incrédulité,
820 Et vous-même admirez notre simplicité :
A [1] nous laisser duper nous sommes bien novices.
Une collation servie à six services,
Quatre concerts entiers, tant de plats, tant de feux,
Tout cela cependant prêt en une heure ou deux,
825 Comme si l'appareil [2] d'une telle cuisine
Fût descendu du ciel dedans quelque machine [3].
Quiconque le peut croire ainsi que vous et moi,
S'il a manqué de sens, n'a pas manqué de foi [4].
Pour moi, je voyais bien que tout ce badinage
830 Répondait assez mal aux remarques du page;
Mais vous?

ALCIPPE. — La jalousie aveugle un cœur atteint,
Et, sans examiner, croit tout ce qu'elle craint.
Mais laissons là Dorante avecque son audace;
Allons trouver Clarice et lui demander grâce :
835 Elle pouvait tantôt [5] m'entendre sans rougir.

PHILISTE — Attendez à demain et me laissez agir :
Je veux par ce récit vous préparer la voie,
Dissiper sa colère et lui rendre sa joie.
Ne vous exposez point, pour gagner un moment,
840 Aux premières chaleurs [6] de son ressentiment.

ALCIPPE. — Si du jour qui s'enfuit [7] la lumière est fidèle,
Je pense l'entrevoir avec son Isabelle.
Je suivrai tes conseils, et fuirai son courroux
Jusqu'à ce qu'elle ait ri de m'avoir vu jaloux.

SCÈNE III. — CLARICE, ISABELLE.

CLARICE. - 845 Isabelle, il est temps, allons trouver Lucrèce.

ISABELLE. — Il n'est pas encor tard, et rien ne vous en presse.
Vous avez un pouvoir bien grand sur son esprit :
A peine ai-je parlé, qu'elle a sur l'heure écrit.

---

1. Pour *nous laisser duper*. — 2. Les apprêts. — 3. Moyen mécanique employé au théâtre pour les changements à vue, les apparitions, etc. — 4. Confiance aveugle, crédulité. — 5. Tout à l'heure. Le mot s'emploie indifféremment pour le passé et pour le futur. Ici, c'est une allusion à la scène 3 de l'acte II. — 6. *Chaleurs* : tout mouvement de passion violente. — 7. L'expression indique l'heure, annonce les scènes de nuit de la fin de l'acte, et suggère au spectateur un changement d'éclairage que le metteur en scène ne pouvait alors réaliser.

CLARICE. — Clarice[1] à la servir ne serait pas moins prompte.
850 Mais dis, par sa fenêtre[2] as-tu bien vu Géronte?
Et sais-tu que ce fils qu'il m'avait tant vanté
Est ce même inconnu qui m'en a tant conté[3]?

ISABELLE. — A Lucrèce avec moi je l'ai fait reconnaître;
Et sitôt que Géronte a voulu disparaître,
855 Le voyant resté seul avec un vieux valet[4],
Sabine à nos yeux même a rendu le billet.
Vous parlerez à lui.

1. Clarice parle d'elle-même à la troisième personne : spontanéité d'un mouvement généreux. — 2. Celle de Lucrèce, où Isabelle se tenait pendant la scène 5 de l'acte II (voir l'indication scénique du v. 663). — 3. *En conter*, dans le sens de « courtiser », n'a rien de familier à l'époque. — 4. Ce renseignement sur l'âge de Cliton-Jodelet, nous le devons à une correction. Corneille avait d'abord écrit (1644-1656) : « avecque son valet ». Voulant corriger l'archaïsme, il pensa à l'image glorieuse que Jodelet avait donnée de Cliton (voir *la Suite du Menteur)*.

● **« Attendez à demain »** (v. 836) — Le décor unique oblige Corneille à recourir à un subterfuge pour repousser l'explication avec Clarice, qui ne figure pas dans le modèle, et qui retarderait sans bénéfice (puisque c'est une scène de pardon) le rendez-vous du balcon (acte III, sc. 5). Au reste, il ne sera plus question de ces bons offices de Philiste.
Mais, alors que les deux amis pouvaient quitter la scène simplement, Corneille estime nécessaire de leur faire apercevoir celle qu'ils ne veulent plus rencontrer (v. 842). C'est une « liaison de fuite », comme déjà celle de la scène 4 de l'acte II. Loin d'atténuer l'artifice (à nos yeux du moins), cette « liaison » souligne le point de suture entre deux scènes qui n'ont aucun lien réel et qui, dans l'original espagnol, sont situées en des lieux différents.

● **Alcippe,** détrompé sur sa jalousie, se juge lui-même avec un humour (v. 831, 844) qui efface le ridicule où le jetaient ses emportements. Il redevient le jeune premier bon à marier.

● **La scène** 3 se joue dans la rue. Elle est nécessaire à la compréhension de la scène 5 du même acte, car elle nous fait connaître les réactions de Clarice devant les fourberies de Dorante. Dans le modèle espagnol, les choses sont présentées différemment, grâce à la liberté du décor : Jacinta voit Don Beltran et son fils sous ses fenêtres et commente avec Isabel le premier mensonge de Don Garcia (acte I, sc. 8); puis, sur le balcon au pied duquel il va venir, elle raconte à Lucrecia ses mensonges les plus récents (acte II, sc. 15).
Il est curieux de constater le soin avec lequel Corneille justifie l'existence de cette scène. Elle se passe dans la rue parce que Clarice, impatiente, se dirige vers la maison de Lucrèce (v. 845); mais Clarice est en avance (v. 846) et peut donc bavarder avec Isabelle. De plus, cette scène n'a pas pu avoir lieu auparavant car, au moment où Clarice découvre qui est Dorante, elle est seule chez elle, Isabelle est chez Lucrèce. Corneille prend soin de le rappeler dans le texte (v. 850). Cette minutie dans l'agencement révèle le souci — constant chez Corneille — de satisfaire les exigences du lecteur le plus pointilleux (car à la représentation ce sont des questions que le public ne se pose pas).

CLARICE. — Qu'il est fourbe, Isabelle!

ISABELLE. — Eh bien! cette pratique [1] est-elle si nouvelle?
Dorante est-il le seul qui, de jeune écolier,
860 Pour être mieux reçu s'érige en cavalier?
Que j'en sais comme lui qui parlent d'Allemagne,
Et, si l'on veut les croire, ont vu chaque campagne;
Sur chaque occasion tranchent des entendus [2],
Content quelque défaite, et des chevaux perdus;
865 Qui dans une gazette apprenant ce langage,
S'ils sortent de Paris ne vont qu'à leur village,
Et se donnent ici pour témoins approuvés [3]
De tous ces grands combats qu'ils ont lus ou rêvés [4]!
Il aura cru sans doute, ou je suis fort trompée,
870 Que les filles de cœur aiment les gens d'épée;
Et vous prenant pour telle, il a jugé soudain
Qu'une plume au chapeau vous plaît mieux qu'à la main.
Ainsi donc, pour vous plaire, il a voulu paraître,
Non pas pour ce qu'il est, mais pour ce qu'il veut être,
875 Et s'est osé promettre un traitement plus doux
Dans la condition qu'il veut prendre pour vous.

CLARICE. — En matière de fourbe [5], il est maître, il y pipe [6];
Après m'avoir dupée, il dupe encore Alcippe.
Ce malheureux jaloux s'est blessé le cerveau
880 D'un festin qu'hier au soir il m'a donné sur l'eau
(Juge un peu si la pièce [7] a la moindre apparence [8]).
Alcippe cependant m'accuse d'inconstance,
Me fait une querelle où je ne comprends rien.
J'ai, dit-il, toute nuit [9] souffert son entretien;
885 Il me parle de bal, de danse, de musique,
D'une collation superbe et magnifique,
Servie à tant de plats, tant de fois redoublés,
Que j'en ai la cervelle et les esprits troublés.

ISABELLE. — Reconnaissez par là que Dorante vous aime,
890 Et que dans son amour son adresse est extrême;
Il aura su qu'Alcippe était bien avec vous [10],
Et pour l' [11] en éloigner il l'a rendu jaloux.
Soudain à cet effort il en a joint un autre :
Il a fait que son père est venu voir le vôtre.

---

1. Méthode. — 2. Prennent des airs *entendus*. — 3. Dignes de foi. — 4. L'insistance avec laquelle Corneille emploie ce mot est significative. Il ne peint pas un vice, mais une forme d'imagination. — 5. Fourberie : voir p. 69, n. 3. — 6. *Pipe* (rarement employé sans complément) signifie ici : excelle dans la fourberie. — 7. Invention mensongère. — 8. *Apparence* de vérité. — 9. *Toute* la *nuit* : voir le v. 808. — 10. Variante (1644-1656) : *Il aura su qu'Alcippe était aimé de vous*. Que penser de l'atténuation apportée à la réplique? — 11. *L'* reprend ici, assez librement, l'idée verbale du vers précédent : le fait d'être bien avec vous.

895 Un amant peut-il mieux agir en un moment
Que de gagner un père et brouiller [1] l'autre amant?
Votre père l'agrée, et le sien vous souhaite;
Il vous aime, il vous plaît : c'est une affaire faite.

1. Embrouiller, embarrasser : voir le v. 936 où l'expression est sans ambiguïté.

- **Clarice** ne domine pas le dialogue, on la sent repliée sur elle-même.
— La brusquerie de son exclamation (v. 857) montre qu'elle est blessée au cœur.
— La condamnation qu'elle porte sur Dorante (v. 877) révèle une mauvaise humeur que confirme la suite de la réplique (v. 881-883, 888).
— Sa déception (amour ou amour-propre ?) n'est peut-être pas profonde mais elle est saisie dans toute sa fraîcheur, et rendue plus sensible par le contraste avec Isabelle.

- **Isabelle**, au contraire, pétille de verve et de malice. Son assurance (v. 858, 869), son ingéniosité (v. 889 et suiv.), son art de considérer les « affaires faites » (v. 898) révèlent l'enjouement, l'optimisme, l'indulgence. Au reste, son caractère n'est pas tranché. Elle est surtout spirituelle.
Dans *la Verdad sospechosa* (II, 8), Isabel tient le même raisonnement, mais réduit à une question :

Pourquoi vous étonner si quelqu'un, qui veut se faire aimer d'une femme de votre mérite, cherche, pour donner du crédit à son amour, à se faire valoir par un mensonge?

Dans *le Menteur*, cette remarque — l'amour excuse toutes les tromperies — devient une ample tirade satirique, où reviennent les « mots » de Dorante : *cavalier*, *Allemagne*, *gazette*, etc. (elle assistait à la scène, acte I, sc. 3). Isabelle généralise (*est-il le seul ?... Que j'en sais comme lui...*), ce qui, très spirituellement, fait du Menteur non plus une exception mais une règle... Elle montre une grande perspicacité : elle a compris la raison du premier mensonge de Dorante (comparer le vers 872 et la tirade de Dorante, aux v. 322 et suiv.), mais elle le traduit avec une finesse et un humour dont Clarice fait, elle aussi, les frais.

① Étudiez les raisons de la célébrité des vers 869-872.

Enfin, Isabelle donne de Dorante ce qui est peut-être la meilleure définition de lui-même (v. 873-874) :

... il a voulu paraître,
Non pas pour ce qu'il est, mais pour ce qu'il veut être.

— Sans doute réduit-elle abusivement la cause de ce trait de caractère en la voyant dans un amour dont on peut douter s'il est sincère.
— Mais elle en décrit le mécanisme : le Menteur est celui qui détermine une image idéale de lui-même, qui la projette à l'extérieur, et s'efforce d'y rassembler ensuite. Dans une pièce comique, ce jeu donne des menteries et des inventions saugrenues; dans une pièce sérieuse, il devient souci de grandeur, ou de gloire. Si le personnage est lâche, ce sera désir de paraître; s'il est « généreux », ce sera grandeur réelle, venue du fond de l'âme. Un vers comme celui-là établit un rapport étroit entre le Menteur et les héros tragiques de Corneille. Dorante est un « héros » comique.

CLARICE. — Elle est faite, de vrai, ce qu'elle se fera [1].

ISABELLE. - 900 Quoi! votre cœur se change et désobéira?

CLARICE. — Tu vas sortir de garde et perdre tes mesures [2].
Explique, si tu peux, encor ses impostures :
Il était marié sans que l'on en sût rien;
Et son père a repris sa parole du mien,
905 Fort triste de visage et fort confus dans l'âme.

ISABELLE. — Ah! je dis à mon tour : « Qu'il est fourbe, Madame! »
C'est bien aimer la fourbe, et l'avoir bien en main
Que de prendre plaisir à fourber [3] sans dessein;
Car pour moi, plus j'y songe, et moins je puis comprendre
910 Quel fruit [4] auprès de vous il en ose prétendre.
Mais qu'allez-vous donc faire? et pourquoi lui parler?
Est-ce à dessein d'en rire, ou de le quereller?

CLARICE. — Je prendrai du plaisir du moins à le confondre.

ISABELLE. — J'en prendrais davantage à le laisser morfondre [5].

CLARICE. - 915 Je veux l'entretenir par curiosité.
Mais j'entrevois quelqu'un dans cette obscurité,
Et si c'était lui-même, il pourrait me connaître [6] :
Entrons donc chez Lucrèce, allons à sa fenêtre,
Puisque c'est sous son nom que je lui dois parler.
920 Mon jaloux, après tout, sera mon pis-aller :
Si sa mauvaise humeur déjà n'est apaisée,
Sachant ce que je sais, la chose est fort aisée.

Scène IV. — DORANTE, CLITON.

DORANTE. — Voici l'heure et le lieu que marque le billet.

CLITON. — J'ai su tout ce détail d'un ancien valet.
925 Son père est de la robe [7], et n'a qu'elle de fille;
Je vous ai dit son bien, son âge et sa famille.
Mais, Monsieur, ce serait pour [8] me bien divertir,
Si comme vous Lucrèce excellait à mentir :
Le divertissement serait rare, ou je meure!
930 Et je voudrais qu'elle eût ce talent pour une heure ;
Qu'elle pût un moment vous piper en votre art,
Rendre conte pour conte, et martre pour renard :
D'un et d'autre côté j'en entendrais de bonnes.

---

1. *De vrai* : en vérité; *ce que* : autant que. — 2. Termes d'escrime employés dans le langage courant : abandonner la position *de garde*, donc être imprudent; *perdre ses mesures* : mal calculer les coups et les parades. Clarice conseille à Isabelle de plaider la cause de Dorante avec plus de circonspection, car elle a un argument décisif en réserve. — 3. Employé absolument, le verbe est rare. Isabelle, jouant sur la répétition du mot, se permet un tour un peu forcé. — 4. Bénéfice. — 5. Se *morfondre*. L'ellipse du réfléchi après le verbe *laisser*, est d'usage courant à l'époque. — 6. Reconnaître. — 7. La haute magistrature. — 8. Cela serait capable de.

DORANTE. — Le Ciel fait cette grâce à fort peu de personnes :
935 Il y faut promptitude, esprit, mémoire, soins,
Ne se brouiller jamais, et rougir encor moins.
Mais la fenêtre s'ouvre, approchons.

- **Le retournement d'Isabelle** (v. 906), aussi déchaînée contre Dorante (répétition du mot *fourbe* : v. 906-907) qu'elle le défendait ardemment, est en rapport avec le personnage simplifié, et toujours entier dans ses opinions.
- **Clarice reste mystérieuse** (cf. acte II, sc. 2). La Jacinta d'Alarcon est plus simple. A la fin de la première des deux scènes, convaincue par Isabel, elle acceptait d'épouser Don Garcia. L'annonce du mariage de celui-ci la rend à son amour pour Don Juan. Corneille, au contraire, se garde bien de donner à Clarice une décision claire. Il veut que le personnage reste indécis; c'est toujours la jeune fille en état de crise sentimentale de l'acte II. Elle se défie désormais de Dorante (v. 899) et songe à un raccommodement avec Alcippe (v. 922). Mais les raisons de l'entrevue qu'elle accorde sont ambiguës (*du moins*, v. 913; *curiosité*, v. 915, qui prépare peut-être la contestation de la scène IV, 9), et son enthousiasme pour Alcippe reste mitigé (v. 920).
- **Corneille,** à travers les propos de Clarice, **fait le point** de la situation avant la grande scène 5 :
  — Les différents mensonges de Dorante sont successivement rappelés;
  — la ruse que Clarice a imaginée est de nouveau précisée (v. 916-918);
  la scène 3 est donc une excellente scène de préparation.
- **« Mais j'entrevois quelqu'un »** (v. 916). Nouvelle « liaison de fuite » (cf. II, 4, et III, 2). Encore que celle-ci se justifie davantage dans le jeu d'intrigue qui se noue, elle révèle la difficulté qu'éprouve Corneille à transposer, dans un décor fixe, la variété du texte espagnol.
- **La courte scène** 4 doit donner à Clarice le temps de monter au balcon de la maison de Lucrèce.
  C'est la fin d'une conversation. Corneille ne nous donne pas les éléments complets du rapport de Cliton (*ce détail*, v. 924; *je vous ai dit*, v. 926) parce que Dorante les énumérera lui-même au cours de la scène 5 (v. 1025 et suiv.). Ce raccourci donne à la scène un certain mouvement : c'est la fin de la marche qui conduit Dorante et Cliton à la maison de Lucrèce.
- **La plaisanterie de Cliton** (v. 927 et suiv.) annonce la scène suivante, dont elle prépare l'effet comique, d'autant que le public est déjà au courant de la ruse des jeunes filles. Par sa verve populaire, elle introduit une rupture très heureuse entre deux scènes plus finement spirituelles.
- **L'assurance de Dorante** — Sa fatuité (v. 934), les qualités qu'il énumère et qu'il est sûr de posséder (v. 935 et suiv.) préparent les difficultés postérieures (acte IV, sc. 4 et 5). Noter qu'il n'a aucune raison de se défier : son mariage est reporté, le duel s'est terminé à son avantage, son intrigue avec " Lucrèce " est une affaire simple. Mais cette assurance prépare aussi, par contraste, sa défaite au cours de la scène suivante. Elle ne donnera que plus de valeur aux parades qu'il trouvera.

SCÈNE V. — CLARICE, LUCRÈCE, ISABELLE, *à la fenêtre;* DORANTE, CLITON, *en bas.*

CLARICE, *à Isabelle.*

— Isabelle,
Durant notre entretien demeure en sentinelle.

ISABELLE. — Lorsque votre vieillard [1] sera prêt à [2] sortir,
940 Je ne manquerai pas de vous en avertir.
(Isabelle descend de la fenêtre, et ne se montre plus.)

LUCRÈCE, *à Clarice.*

— Il conte assez au long ton histoire à mon père.
Mais parle sous mon nom, c'est à moi de me taire.

CLARICE. — Êtes-vous là, Dorante?

DORANTE. — Oui, Madame, c'est moi,
Qui veux vivre et mourir sous votre seule loi.

LUCRÈCE, *à Clarice.*

- 945 Sa fleurette [3] pour toi prend encor même style.

CLARICE, *à Lucrèce.*

— Il devrait s'épargner cette gêne [4] inutile.
Mais m'aurait-il déjà reconnue à la voix [5]?

CLITON, *à Dorante.*

— C'est elle; et je me rends, Monsieur, à cette fois.

DORANTE, *à Clarice.*

— Oui, c'est moi qui voudrais effacer de ma vie
950 Les jours que j'ai vécu [6] sans vous avoir servie.
Que vivre sans vous voir est un sort rigoureux!
C'est ou ne vivre point, ou vivre malheureux;
C'est une longue mort; et pour moi, je confesse
Que pour vivre il faut être esclave de Lucrèce.

CLARICE, *à Lucrèce.*

- 955 Chère amie, il en conte à chacune à son tour.

LUCRÈCE, *à Clarice.*

— Il aime à promener sa fourbe [7] et son amour.

DORANTE. — A vos commandements j'apporte donc ma vie,
Trop heureux, si pour vous elle m'était ravie!
Disposez-en, Madame, et me dites en quoi
960 Vous avez résolu de vous servir de moi.

---

1. Le père de Clarice, venu bavarder avec son voisin et ami, le père de Lucrèce. Cette visite, sans importance dans l'intrigue, est dans le modèle espagnol. Corneille a maintenu le détail pour la vérité des mœurs. — 2. L'usage ne distinguait pas *prêt à* et *près de*. — 3. Galanterie, propos galants; *même* : le même. — 4. Contrainte. — 5. Ce doute, très naturel, prépare un des moments principaux du dénouement (v. 1736-1740). — 6. Sans accord du participe, parce que la règle était mal établie, parce que surtout le *que* représente ici, non un complément d'objet, mais un complément de temps : pendant lesquels. — 7. Voir p. 69, n. 3.

CLARICE. — Je vous voulais tantôt proposer quelque chose;
Mais il n'est plus besoin que je vous la propose,
Car elle [1] est impossible.

DORANTE. — Impossible! Ah! pour vous
Je pourrai tout, Madame, en tous lieux, contre tous.

CLARICE. - 965 Jusqu'à vous marier, quand je sais que vous l'êtes?

DORANTE. — Moi, marié? ce sont pièces [2] qu'on vous a faites;
Quinconque vous l'a dit s'est voulu divertir.

CLARICE, *à Lucrèce.*
— Est-il un plus grand fourbe?

LUCRÈCE, *à Clarice.*
— Il ne sait que mentir.

DORANTE. — Je ne le fus jamais; et si par cette voie
970 On pense...

CLARICE. — Et vous pensez encor que je vous croie?

DORANTE. — Que le foudre [3] à vos yeux m'écrase, si je mens!

CLARICE. — Un menteur est toujours prodigue de serments.

DORANTE. — Non, si vous avez eu pour moi quelque pensée
Qui sur ce faux rapport puisse être balancée [4],
975 Cessez d'être en balance et de vous défier
De ce qu'il m'est aisé de vous justifier.

CLARICE, *à Lucrèce.*
— On dirait qu'il dit vrai, tant son effronterie
Avec naïveté [5] pousse une menterie.

---

1. *Elle* reprend le mot *chose* (*quelque chose*). — 2. Inventions mensongères : voir le v. 881. — 3. Le genre du mot est indifférent à l'époque. Corneille avait écrit *la*, en 1644; il corrigea en 1660. — 4. Contrebalancée par une autre pensée, moins favorable. — 5. Naturel.

● « La Verdad sospechosa » (II, 16) :

LUCRECIA, *à Jacinta.* — C'est toi qui mènes l'intrigue, réponds-lui en mon nom.
DON GARCIA, — Est-ce vous, Lucrecia?
JACINTA. — Est-ce vous, Don Garcia?
DON GARCIA. — Je suis celui qui rencontra à la Plateria le joyau le plus précieux qu'ait fabriqué le Ciel, celui qui, en le voyant, l'estima d'un tel prix, qu'enflammé d'amour, il donna sa vie et son âme pour lui. Je suis celui qui se fait gloire d'être à vous, et qui d'aujourd'hui commence à vivre, puisqu'il vit esclave de Lucrecia.
JACINTA, *à Lucrecia.* — Amie, ce cavalier sent de l'amour pour toutes les femmes.
LUCRECIA. — L'homme est porté au mensonge.
JACINTA. — Celui-ci est un grand imposteur.
DON GARCIA. — J'attends, Madame, les ordres que vous voudrez me donner.
JACINTA. — L'affaire que je voulais vous proposer n'a plus lieu d'être maintenant.
TRISTAN, *à l'oreille de son maître.* — C'est elle?
DON GARCIA. — Oui.
JACINTA. — J'avais l'intention de vous proposer un mariage du plus grand prix, mais je sais désormais que la chose est impossible.
DON GARCIA. — Pourquoi? (suite, p. 79).

DORANTE. — Pour vous ôter de doute, agréez que demain
980 En qualité d'époux je vous donne la main [1].

CLARICE. — Eh! vous la donneriez en un jour à deux mille.

DORANTE. — Certes, vous m'allez mettre en crédit par la ville,
Mais en crédit si grand que j'en crains les jaloux.

CLARICE. — C'est tout ce que mérite un homme tel que vous,
985 Un homme qui se dit un grand foudre de guerre,
Et n'en a vu qu'à coups d'écritoire ou de verre [2];
Qui vint hier de Poitiers, et conte, à son retour,
Que depuis une année il fait ici sa cour;
Qui donne toute nuit [3] festin, musique et danse,
990 Bien qu'il l'ait dans son lit passée en tout silence;
Qui se dit marié, puis soudain s'en dédit :
Sa méthode est jolie à [4] se mettre en crédit!
Vous-même, apprenez-moi comme il faut qu'on le nomme.

CLITON, *à Dorante.*
— Si vous vous en tirez, je vous tiens habile homme.

DORANTE, *à Cliton.*
— 995 Ne t'épouvante point, tout vient en sa saison.
(A Clarice.)
De ces inventions chacune a sa raison :
Sur toutes quelque jour je vous rendrai contente [5];
Mais à présent je passe à la plus importante :
J'ai donc feint cet hymen (pourquoi désavouer
1000 Ce qui vous forcera vous-même à me louer?);
Je l'ai feint, et ma feinte à vos mépris m'expose;
Mais si de ces détours vous seule étiez la cause?

CLARICE. — Moi?

DORANTE. — Vous. Écoutez-moi. Ne pouvant consentir...

CLITON, *à Dorante.*
— De grâce, dites-moi si vous allez mentir.

DORANTE, *bas, à Cliton.*
— 1005 Ah! je t'arracherai cette langue importune.
(A Clarice.)
Donc, comme à vous servir j'attache ma fortune [6],
L'amour que j'ai pour vous ne pouvant consentir
Qu'un père à d'autres lois voulût m'assujettir...

CLARICE, *bas, à Lucrèce.*
— Il fait pièce [7] nouvelle, écoutons.

---

1. Corneille traduit *darse las manos*, expression courante pour dire : épouser, en espagnol. Il serait l'introducteur de cette formule dans la langue française, selon Littré. — 2. *Verre* à boire, dans un cabaret. — 3. *Toute* la *nuit.* — 4. Pour. — 5. Satisfaite. — 6. Mon sort. — 7. Ruse : voir le v. 881.

DORANTE. — Cette adresse
1010 A conservé mon âme à la belle Lucrèce;
Et, par ce mariage au besoin [1] inventé,
J'ai su rompre celui qu'on m'avait apprêté.
Blâmez-moi de tomber en des fautes si lourdes,
Appelez-moi grand fourbe et grand donneur de bourdes [2];
1015 Mais louez-moi du moins d'aimer si puissamment,
Et joignez à ces noms celui de votre amant.
Je fais par cet hymen banqueroute [3] à tous autres;
J'évite tous leurs fers pour mourir dans les vôtres;
Et, libre pour entrer en des liens si doux,
1020 Je me fais [4] marié pour toute autre que vous.

1. Dans la nécessité. — 2. L'expression, moins familière que de nos jours, tirerait son origine du vocabulaire du tournois; elle évoquerait un jeu de feintes, donc une ruse mensongère. — 3. J'échappe à (cf. v. 4). — 4. Je dis que je suis.

● **« La Verdad sospechosa »** (suite de la p. 77) :

JACINTA. — Parce que vous êtes marié.
DON GARCIA. — Parce que je suis marié?
JACINTA. — Oui. vous.
DON GARCIA. — Je suis libre, vive Dieu! Celui qui vous a dit cela vous a trompée.
JACINTA, *à Lucrecia.* — Vit-on plus grand imposteur?
LUCRECIA. — Il ne sait que mentir.
JACINTA. — Vous voulez m'en convaincre?
DON GARCIA. — Par Dieu oui, je suis libre.
JACINTA. — Et il le jure!
LUCRECIA. — De tous temps c'est l'habitude des menteurs : quand ils doutent qu'on les croie, ils jurent pour être crus.
DON GARCIA. — Si c'est votre blanche main que le Ciel destine à combler mon bonheur, ô que ce bien ne se perde pas! car il m'est facile de prouver que ce bruit est faux.
JACINTA, *à part.* — Avec quelle aisance il ment! on croirait presque qu'il dit vrai.
DON GARCIA. — Je vous donnerai la main, Madame, et ainsi vous me croirez.
JACINTA. — Vous la donneriez en une heure à trois cent femmes!
DON GARCIA. — Ai-je si peu de crédit auprès de vous?
JACINTA. — Vous l'avez mérité! il m'est difficile de donner ma confiance à celui qui, aujourd'hui, s'est dit Péruvien, alors qu'il est né dans la capitale; qui, alors qu'il vient d'y arriver, a dit qu'il y vivait depuis un an entier; qui, alors qu'il a avoué ce soir être marié à Salamanque, se dédit en ce moment; et qui, alors qu'il a passé toute la nuit dans sa chambre, a raconté qu'il l'avait passée au bord de la rivière, à donner une fête à une dame.
TRISTAN, *à part.* — Tout se sait.
DON GARCIA. — Ma gloire, écoutez-moi, et je vous dirai la vérité pure. Je sais en quoi ce récit vous abuse. Je passe sur les détails qui comptent peu, pour en venir au point important, le mariage. Si vous étiez la cause pour laquelle j'ai dit que j'étais marié, serait-ce un crime d'avoir menti?
JACINTA. — Moi, la cause?
DON GARCIA. — Oui, Madame!
JACINTA. — Et comment?
DON GARCIA. — Je veux vous l'expliquer.
JACINTA, *à Lucrecia.* — Écoute; l'imposteur va inventer une belle galanterie!
DON GARCIA. — Mon père est venu me proposer aujourd'hui de me donner pour épouse une autre femme. Moi, qui vous appartiens, j'ai trouvé ce moyen de l'éviter. Puisque j'espère un jour vous donner la main, je suis marié pour toute autre, et libre seulement pour vous. Et comme votre billet avait renforcé mon désir, lorsqu'on me proposa ce mariage, il me donna la force de l'éviter. Voilà l'affaire, considérez si ce mensonge vous étonne, quand ce mensonge a exprimé la vérité de ma passion.
LUCRECIA, *à part.* — Et si c'était vrai ?(suite p. 80).

CLARICE. — Votre flamme en naissant a trop de violence,
Et me laisse toujours en juste défiance.
Le moyen que mes yeux eussent de tels appas
Pour qui m'a si peu vue et ne me connaît pas?

DORANTE. - 1025 Je ne vous connais pas [1]! Vous n'avez plus de mère;
Périandre est le nom de Monsieur votre père;
Il est homme de robe, adroit et retenu [2];
Dix mille écus de rente en font le revenu;
Vous perdîtes un frère aux guerres d'Italie;
1030 Vous aviez une sœur qui s'appelait Julie.
Vous connais-je à présent? dites encor que non.

CLARICE, *à Lucrèce.*
— Cousine, il te connaît, et t'en veut tout de bon.

LUCRÈCE, *en elle-même.*
— Plût à Dieu!

CLARICE, *à Lucrèce.*
— Découvrons le fond de l'artifice.
(A Dorante.)
J'avais voulu tantôt vous parler de Clarice;
1035 Quelqu'un de vos amis m'en est venu prier.
Dites-moi, seriez-vous pour elle à marier?

DORANTE. — Par cette question n'éprouvez plus ma flamme.
Je vous ai trop fait voir jusqu'au fond de mon âme,
Et vous ne pouvez plus désormais ignorer
1040 Que j'ai feint cet hymen afin de m'en parer [3].
Je n'ai ni feux ni vœux que pour votre service,
Et ne puis plus avoir que mépris [4] pour Clarice.

CLARICE. — Vous êtes, à vrai dire, un peu bien dégoûté :
Clarice est de maison [5], et n'est pas sans beauté;
1045 Si Lucrèce à vos yeux paraît un peu plus belle,
De bien mieux faits que vous se contenteraient d'elle.

DORANTE. — Oui, mais un grand défaut ternit tous ses appas.

CLARICE. — Quel est-il, ce défaut?

DORANTE. — Elle ne me plaît pas;
Et plutôt que l'hymen avec elle me lie,
1050 Je serai marié, si l'on veut, en Turquie.

---

1. Voir les v. 715 et suiv., 924 et suiv. — 2. Sage, circonspect. — 3. J'ai inventé l'*hymen* que vous me reprochez, *afin* qu'il me serve de protection. — 4. Au sens amoureux, c'est-à-dire indifférence. — 5. *Est* de bonne *maison*, de bonne noblesse. L'expression ne s'emploierait pas pour une famille bourgeoise.

● **« La Verdad sospechosa »** (II, 16, suite de la p. 79) :

JACINTA, *à part.* — Comme il a bien inventé, et sur-le-champ! (H*aut.*) Mais comment si rapidement ai-je pu vous donner si grand souci d'amour? Vous ne m'avez pour ainsi dire pas vue, et vous vous montrez déjà si éperdu! Vous ne me connaissez pas encore et vous me voulez pour épouse?

DON GARCIA. — Aujourd'hui j'ai vu votre beauté pour la première fois, Madame; car l'amour me contraint à vous dire la vérité. Mais si la cause est divine, l'effet ne peut être que miraculeux, et le dieu-enfant ne marche pas, il vole. Dire que vous avez besoin de temps pour blesser d'amour serait, Lucrecia, nier votre divin pouvoir. Vous dites que je suis fou d'amour sans vous connaître? Si seulement je ne vous connaissais pas! Mon amour serait plus étonnant encore! Mais je vous connais bien. Je sais le sort que vous a donné la fortune; vous êtes une Luna sans éclipse; une Mendoza sans tache; votre mère est morte, vous êtes l'enfant unique de votre maison, les revenus de votre père dépassent mille doublons. Voyez si je suis mal informé. Plût à Dieu, mon amour, que vous le fussiez autant sur moi!

LUCRECIA, *à part.* — Tout cela me trouble.

JACINTA. — Mais Jacinta n'est-elle pas belle, n'est-elle pas sage, riche et digne des meilleurs partis?

DON GARCIA. — Elle est sage, riche et belle, mais elle ne me convient pas.

JACINTA. — Mais dites-moi quel défaut la dépare.

DON GARCIA. — Le plus grand : je ne l'aime pas.

JACINTA. — C'est pourtant avec elle que je voulais vous marier : voilà la seule raison de ce rendez-vous.

DON GARCIA. — Ce sera vaine obstination. C'est précisément parce qu'il me le proposait, que j'ai dit à mon père que j'étais déjà marié. Et si vous, Madame, avez la même intention, pardonnez-moi, mais, pour l'éviter, je serai marié en Turquie. Voilà la vérité, par Dieu! Car mon amour est si fort que je déteste, ma Lucrecia, tout ce qui n'est pas vous!

LUCRECIA, *à part.* — Plût à Dieu!

JACINTA. — Que vous me traitiez avec une impudence si évidente! Dites-moi, avez-vous si peu de mémoire, ou si peu de pudeur? Comment, après avoir dit aujourd'hui à Jacinta que vous l'aimiez, maintenant vous me dites le contraire?

DON GARCIA. — A Jacinta, moi? Par Dieu, je n'ai parlé qu'à vous depuis que je suis arrivé dans la ville.

JACINTA. — Peut-on mentir sans vergogne jusqu'à ce point! Si vous osez me mentir sur des choses que j'ai vues moi-même, quelle vérité pourrez-vous me dire? Allez avec Dieu, et de moi vous pouvez désormais penser que, si je vous écoute une autre fois, ce sera pour me divertir, comme quelqu'un qui, pour se débarrasser du dégoût fastidieux d'une affaire pesante, lit les passages piquants des récits d'Ovide. *(Elle s'en va.)*

DON GARCIA. — Écoutez. belle Lucrecia...

LUCRECIA, *à part.* — Je suis toute troublée. *(Elle s'en va).*

● **L'imbroglio** — La situation est complexe : chacun ignore une part de la vérité, et personne ne mène le jeu. Tous les mouvements sont vrais en fonction des personnages et faux par rapport à la situation. De cette inadéquation des répliques naît le comique d'intrigue.

● **Le mouvement de la scène** — Dorante se déclare avec tant d'ardeur à la véritable Clarice qu'il provoque un mouvement d'incertitude chez elle (v. 947). Ce subtil effet comique n'est pas dans le modèle. Dorante achève en nommant Lucrèce (v. 954). Clarice reprend barre sur lui.

— Elle lui assène la nouvelle de son mariage. Il se défend avec tant de bonne foi que de nouveau Clarice doute (v. 977-978). Elle a beau accumuler les moqueries, l'argumentation de Dorante se développe avec tant de rigueur qu'il fait croire à la sincérité de son amour pour Lucrèce (v. 1032).

— Clarice alors ramène la conversation sur elle. Le mépris de Dorante (v. 1042) la blesse : pour une fois elle le croit sur parole. La remarque qu'elle fait alors (v. 1051-1052) amène une contrevérité involontaire dans la bouche du Menteur. C'est le sommet de l'imbroglio. Clarice part en se moquant; Dorante reste accablé (v. 1066), sans comprendre la raison de son échec.

CLARICE. — Aujourd'hui cependant on m'a dit qu'en plein jour
Vous lui serriez la main, et lui parliez d'amour.

DORANTE. — Quelqu'un auprès de vous m'a fait cette imposture.

CLARICE, *bas, à Lucrèce.*
— Écoutez l'imposteur; c'est hasard s'il n'en jure.

DORANTE. - 1055 Que du Ciel...

CLARICE, *bas, à Lucrèce.*
— L'ai-je dit?

DORANTE. — J'éprouve le courroux
Si j'ai parlé, Lucrèce, à personne qu'à vous [1]!

CLARICE. — Je ne puis plus souffrir une telle impudence,
Après ce que j'ai vu moi-même en ma présence :
Vous couchez d'imposture [2], et vous osez jurer,
1060 Comme si je pouvais vous croire, ou l'endurer!
Adieu : retirez-vous, et croyez, je vous prie,
Que souvent je m'égaye ainsi par raillerie,
Et que pour me donner des passe-temps si doux,
J'ai donné cette baye [3] à bien d'autres qu'à vous.

Scène VI. — DORANTE, CLITON.

CLITON. - 1065 Eh bien! vous le voyez, l'histoire est découverte.

DORANTE. — Ah! Cliton, je me trouve à deux doigts de ma perte.

CLITON. — Vous en avez sans doute un plus heureux succès,
Et vous avez gagné chez elle un grand accès;
Mais je suis ce fâcheux qui nuis par ma présence,
1070 Et vous fais sous ces mots être d'intelligence [4].

DORANTE. — Peut-être. Qu'en crois-tu?

CLITON. — Le *peut-être* est gaillard.

DORANTE. — Penses-tu qu'après tout j'en quitte encor ma part [5],
Et tienne tout perdu pour un peu de traverse [6]?

CLITON. — Si jamais cette part tombait dans le commerce,
1075 Et qu'il vous vînt marchand pour ce trésor caché,
Je vous conseillerais d'en faire bon marché.

DORANTE. — Mais pourquoi si peu croire un feu si véritable?

CLITON. — A chaque bout de champ [7] vous mentez comme un diable.

DORANTE. — Je disais vérité.

---

1. Sinon *à vous*. — 2. Expression tirée du vocabulaire du jeu. Coucher telle somme, c'était miser telle somme. Miser *d'imposture*, c'est jouer au bluff. — 3. *Donner une baye* : mystifier. — 4. Cliton reprend ironiquement les propos que son maître a tenus à la fin de l'acte I (v. 347 et suiv.). Sentant que son maître a été battu, il feint de croire que Clarice a employé un code secret parce que lui, Cliton, les gênait. — 5. J'y renonce. — 6. Obstacle. — 7. A tout *bout de champ*.

CLITON. — Quand un menteur la dit,
1080 En passant par sa bouche elle perd son crédit.

DORANTE. — Il faut donc essayer si par quelque autre bouche [1]
Elle pourra trouver un accueil moins farouche.
Allons sur le chevet [2] rêver quelque moyen
D'avoir de l'incrédule un plus doux entretien.
1085 Souvent leur belle humeur suit le cours de la lune :
Telle rend [3] des mépris qui veut qu'on l'importune;
Et de quelques effets que les siens soient suivis,
Il sera demain jour, et la nuit porte avis.

1. Un tiers, non suspect de mensonge. Dorante ne pense encore à personne de précis. Il choisira Sabine (acte IV, sc. 1). — 2. Sur l'oreiller, c'est-à-dire en dormant. — 3. *Rendre :* ici, voisin de « témoigner ».

● **Les personnages.**

① Lucrèce ne dit rien, du v. 968 à son aparté du v. 1033. Montrez que ce silence est lourd de signification.

② Clarice venait pour confondre Dorante (v. 913) : étudiez les différents tons qu'elle prend tout à tour (indifférence, ironie, indignation). Mais elle venait aussi par curiosité (v. 915) : est-elle satisfaite?

③ Dorante reste au centre de la scène. D'une éloquence sincère, et qui s'élève aux formules de l'héroïsme amoureux (v. 964), il se trouve dans une situation comique, mais il n'est jamais ridicule. Il lutte contre un obstacle incompréhensible avec courage et maîtrise (v. 995) : serments, engagements, mais aussi ironie, désinvolture, tous les tons lui sont bons. Est-ce sa faute si dans un imbroglio dont il ignore les clés, sa sincérité le perd? Mais est-il vraiment sincère? Suffit-il pour l'être de ne pas inventer d'histoires? Ne peut-on pas appliquer à sa tactique les v. 935-936, où il définit précisément... l'art de mentir?

● **La scène** 6 est développée par Corneille à partir de quelques répliques d'Alarcon *(fin de l'acte II)*. Restés seuls en scène après le départ des jeunes filles, Don Garcia et Tristan échangent ces mots :

DON GARCIA. — Je suis stupéfait. La vérité a-t-elle si peu de force?
TRISTAN. — Oui, dans la bouche d'un menteur.
DON GARCIA. — Elle s'obstine à ne pas me croire, quand je dis vrai!
TRISTAN. — Pourquoi t'en étonner, si tu as commencé avec elle par quatre ou cinq mensonges? Celui qui ment pour plaisanter perd tout crédit dans les affaires sérieuses.

Corneille transpose dans la bouche de Cliton (v. 1079-80) la morale d'Alarcon.
Il y joint un comique plus appuyé, dû aux plaisanteries de Cliton. Celui-ci a beau jeu. Il sent que son maître a été battu. Il se venge peut-être, et il fait rire à bon compte. Mais il provoque un **étonnant revirement de Dorante**.

④ Montrez par quelles étapes Dorante retrouve son assurance; analysez les traits qui la prouvent. Étudiez l'effet de son départ sur le public.

⑤ Du poète improvisateur à celui qui refuse la défaite, montrez que la physionomie de Dorante s'est approfondie.

ACTE IV

SCÈNE PREMIÈRE. — DORANTE, CLITON.

CLITON. — Mais, Monsieur, pensez-vous qu'il soit jour[1] chez Lucrèce ?
1090 Pour sortir si matin elle a trop de paresse.

DORANTE. — On trouve bien souvent plus qu'on ne croit trouver,
Et ce lieu pour ma flamme [2] est plus propre à rêver.
J'en puis voir sa fenêtre, et de sa chère idée [3]
Mon âme à cet aspect sera mieux possédée.

CLITON. - 1095 A propos de rêver [4], n'avez-vous rien trouvé
Pour servir de remède au désordre arrivé ?

DORANTE. — Je me suis souvenu d'un secret que toi-même
Me donnais hier pour grand, pour rare, pour suprême :
Un amant obtient tout quand il est libéral [5].

CLITON. - 1100 Le secret est fort beau, mais vous l'appliquez mal :
Il ne fait réussir qu'auprès d'une coquette.

DORANTE. — Je sais ce qu'est Lucrèce, elle est sage et discrète;
A lui faire [6] présent mes efforts seraient vains :
Elle a le cœur trop bon [7]; mais ses gens ont des mains;
1105 Et bien que sur ce point elle les désavoue,
Avec un tel secret leur langue se dénoue :
Ils parlent, et souvent on les daigne écouter.
A tel prix que ce soit [8], il m'en faut acheter.
Si celle-ci venait qui m'a rendu sa lettre,
1110 Après ce qu'elle a fait j'ose tout m'en promettre [9];
Et ce sera hasard si, sans beaucoup d'effort,
Je ne trouve moyen de lui payer le port.

CLITON. — Certes vous dites vrai, j'en juge par moi-même :
Ce n'est point mon humeur de refuser qui m'aime [10];
1115 Et comme c'est m'aimer que me faire présent,
Je suis toujours alors d'un esprit complaisant.

DORANTE. — Il est beaucoup d'humeurs pareilles à la tienne.

---

1. Au sens figuré : que Lucrèce soit levée. Car, sur scène, il fait déjà jour. Noter la précision des indications temporelles : la pièce, commencée la veille en fin de matinée, s'achèvera à peu près dans les vingt-quatre heures. — 2. Celle que Dorante nomme Lucrèce a toujours, pour lui, le visage de Clarice. — 3. Image. — 4. Au vers 1092, *rêver* signifie : s'absorber dans ses pensées. Au v. 1095, Cliton le reprend avec le sens de : réfléchir à une question. Ailleurs (v. 312 et 1148) *rêver* signifie : inventer comme dans un rêve, mentir. Le mot, dans la richesse de ses acceptions diverses, est un des mots clés de la pièce. — 5. Voir les v. 85 et suiv. — 6. Si je lui faisais : voir le v. 821. — 7. Noble. — 8. A quelque *prix que ce soit*. — 9. Attendre d'elle. — 10. Dire non à celui *qui m'aime*.

CLITON. — Mais, Monsieur, attendant [1] que Sabine survienne,
Et que sur son esprit vos dons fassent vertu,
1120 Il court quelque bruit sourd qu'Alcippe s'est battu.

DORANTE. — Contre qui?

CLITON. — L'on ne sait; mais ce confus murmure,
D'un air pareil au vôtre à peu près le figure;
Et si de tout le jour je vous avais quitté,
Je vous soupçonnerais de cette nouveauté.

DORANTE. - 1125 Tu ne me quittas point pour entrer chez Lucrèce [2]?

CLITON. — Ah! Monsieur, m'auriez-vous joué ce tour d'adresse?

DORANTE. — Nous nous battîmes hier, et j'avais fait serment
De ne parler jamais de cet événement;
Mais à toi, de mon cœur l'unique secrétaire,
1130 A toi, de mes secrets le grand dépositaire [3],
Je ne célerai rien, puisque je l'ai promis.

---

1. En *attendant*. — 2. Voir II, sc. 7, v. 715. — 3. Dorante reprend les expressions déjà employées aux v. 701-702. Elles ont une saveur nouvelle au moment où il s'apprête à mentir.

● **La liaison avec l'acte précédent**

Dans *le Menteur* tout l'intervalle du troisième au quatrième vraisemblablement se consume à dormir par tous les acteurs; leur repos n'empêche pas toutefois la continuité d'action entre ces deux actes, parce que ce troisième n'en a point de complète. Dorante le finit par le dessein de chercher les moyens de regagner l'esprit de Lucrèce; et dès le commencement de l'autre il se présente pour tâcher de parler à quelqu'un de ses gens, et prendre l'occasion de l'entretenir elle-même si elle se montre. (Corneille, *Discours des trois unités*).

① Montrez qu'à chacun des entractes du *Menteur* correspond cette suspension de l'intérêt entre une « action incomplète » et l'élément nouveau qui la relance.

● **La tactique de Dorante** — L'idée de se servir de l'argent est la même chez Alarcon *(acte III, sc. 3)*, mais les rôles sont inversés :

TRISTAN. — Camino sert tes intérêts, et il promet de te révéler les secrets de sa maîtresse. Je crois qu'il tiendra sa promesse, si tu tiens la tienne généreusement. Car pour obtenir des aveux, il n'y a pas de corde comme l'argent. Et il ne te serait pas inutile de faire la conquête de ton ingrate avec des cadeaux : l'amour tue avec des flèches d'or!
DON GARCIA. — Je ne t'ai jamais vu si grossier dans tes opinions. Lucrecia est-elle de celles qui se gagnent avec de l'argent?
TRISTAN. — Virgile dit que Didon s'enflamma pour le Troyen à cause de ses présents autant qu'avec l'aide de Cupidon. Et c'était une reine. Ne t'étonne donc pas de mes opinions grossières : l'argent vainc l'argent, le diamant façonne le diamant.
DON GARCIA. — N'as-tu pas vu que mes offres l'ont offensée, chez le bijoutier?
TRISTAN. — Tes offres, oui. Mais un cadeau, non pas! Règle-toi sur l'usage : dans ce pays on n'a jamais rompu les membres de personne pour l'impudence d'avoir fait un cadeau.

② Étudiez la différence entre les deux textes.

● **« Attendant que Sabine survienne»** (v. 1118) — Ce début prépare les scènes du milieu de l'acte (Sabine « surviendra » à la sc. 6). Mais Corneille prend le temps d'introduire deux épisodes annexes dont l'efficacité comique excuse l'arbitraire.

Depuis cinq ou six mois nous étions ennemis :
Il passa par Poitiers, où nous prîmes querelle;
Et comme on nous fit lors une paix telle quelle [1],
1135 Nous sûmes l'un à l'autre en secret protester [2]
Qu'à la première vue il en faudrait tâter [3].
Hier nous nous rencontrons; cette ardeur se réveille,
Fait de notre embrassade un appel [4] à l'oreille;
Je me défais de toi, j'y cours, je le rejoins,
1140 Nous vidons sur le pré l'affaire sans témoins;
Et, le perçant à jour [5] de deux coups d'estocade [6],
Je le mets hors d'état d'être jamais malade :
Il tombe dans son sang.

CLITON. — A ce compte il est mort?

DORANTE. — Je le laissai pour tel.

CLITON. — Certes je plains son sort :
1145 Il était honnête homme; et le Ciel ne déploie...

SCÈNE II. — DORANTE, ALCIPPE, CLITON.

ALCIPPE. — Je te veux, cher ami, faire part de ma joie.
Je suis heureux : mon père...

DORANTE. — Eh bien?

ALCIPPE. — ...Vient d'arriver.

CLITON, *à Dorante.*
— Cette place pour vous est commode à rêver [7].

DORANTE. — Ta joie est peu commune, et pour revoir un père
1150 Un tel homme que nous ne se réjouit guère.

ALCIPPE. — Un esprit que la joie entièrement saisit
Présume qu'on l'entend au moindre mot qu'il dit.
Sache donc que je touche à l'heureuse journée
Qui doit avec Clarice unir ma destinée :
1155 On attendait mon père afin de tout signer.

DORANTE. — C'est ce que mon esprit ne pouvait deviner;
Mais je m'en réjouis. Tu vas entrer chez elle?

ALCIPPE. — Oui, je lui vais porter cette heureuse nouvelle;
Et je t'en ai voulu faire part en passant.

DORANTE. - 1160 Tu t'acquiers d'autant plus un cœur reconnaissant.
Enfin donc ton amour ne craint plus de disgrâce?

ALCIPPE. — Cependant qu'au logis mon père se délasse,
J'ai voulu par devoir prendre l'heure du sien.

---

1. Un *statu quo* qui ne résout rien. — 2. Jurer. — 3. En venir aux mains. — 4. Une provocation en duel. — 5. De part en part, comme si l'on voyait le *jour* au travers. — 6. Coups de pointe imprévus. — 7. Voir p. 84, n. 4.

CLITON, *bas, à Dorante.*
— Les gens que vous tuez se portent assez bien.

ALCIPPE. — 1165 Je n'ai de part ni d'autre aucune défiance.
Excuse d'un amant la juste impatience :
Adieu.

DORANTE. — Le Ciel te donne un hymen sans souci!

● **« La Verdad sospechosa » (III, 7 et 8) :**

DON GARCIA. — Je veux tout te raconter, car je connais d'expérience ta discrétion et ta sagesse, et je peux me fier à toi. Don Juan de Sosa m'écrivit qu'il m'attendait à San Blas à sept heures du soir pour une affaire de la dernière importance. Je me suis tu, car c'était pour un duel, et celui qui ne se tait pas là-dessus cherche un empêchement ou un secours, choses aussi lâches l'une que l'autre. J'arrivai sur les lieux fixés, où Don Juan m'attendait avec son épée, et sa jalousie, arme qui lui donnait l'avantage. Il m'exposa ses raisons, je satisfis à sa demande, et, pour finir, nous tirâmes l'épée. Je choisis ma tactique sur-le-champ; je pris l'avantage sur lui en gagnant peu à peu sur sa lame et je lançai une forte estocade. Il eut la vie sauvée par un *Agnus Dei* qu'il portait sur lui : ma pointe frappa dessus et mon épée se rompit en deux morceaux. Il recula d'un saut sous le coup mais, enflammé de rage, il me poussa une botte. Moi, d'un revers, je l'arrêtai par la partie faible de son épée, en reformant ma garde. Une riposte aussi rapide lui coupe le souffle, car il manque deux tiers de sa longueur à mon épée si peu fidèle, mais il glisse fil contre fil, et comme il se trouve près de moi (je cherche le corps à corps, à cause de mon arme), il tente avec fureur de me faire une estafilade sur la tête. Je le bloque près de la garde, arrêtant le mouvement sur son épée avec la mienne. Alors quel coup! Je lui lançai un revers d'une telle violence que, malgré son insuffisance, mon fer me suffit. Je lui fis sur la tête une estafilade grande comme la main : il tomba sans connaissance sur le sol, et je pense qu'il y tomba sans vie. Je le laissai dans cet état, et je suis revenu en secret. Voilà ce qui s'est passé, et c'est pourquoi tu ne l'as pas vu ces jours-ci.
TRISTAN. — Quelle aventure extraordinaire! Et s'il était mort?
DON GARCIA. — C'est une chose certaine, car même sa cervelle s'est répandue sur la terre.
TRISTAN. — Pauvre Don Juan!

SCÈNE 8. *(Entrent Don Juan et Don Beltran, qui conversent dans le fond de la scène.)*
TRISTAN. — Mais n'est-ce pas lui qui vient par ici?
DON GARCIA. — C'est curieux! (suite p. 89.)

① Corneille supprime le récit animé de Don Garcia et le remplace par une brève mention des faits (v. 1132-1142). Montrez ce que la scène y gagne.

● **L'arrivée d'Alcippe,** au moment où Dorante annonce sa mort, est d'un effet comique immédiat. Les choses sont présentées différemment dans Alarcon. La scène française a peut-être moins de naturel mais plus de force comique.

② Moins de naturel, car Alcippe semble avoir oublié le mauvais tour que Dorante lui a joué en mentant. A moins qu'on ne fasse le personnage ironique et distant. Le texte permet-il cette interprétation?

③ Plus de force comique, car la conversation prolonge l'embarras de Dorante et permet les jeux de scène de son valet (notamment les apartés, et le fameux v. 1164, passé en proverbe). Que peut penser Dorante de son ami pendant cette scène?

● **L'amour filial chez Dorante** — Les vers 1149-1150 sont d'une brutalité qui a souvent choqué. Pourtant Corneille la reprendra (v. 1207 et 1501). Il faut y voir, non un trait de caractère, mais un trait de mœurs : Corneille, sensible au heurt entre les générations, traduit ici l'impatience des jeunes gens à être libres.

Scène III. — DORANTE, CLITON.

CLITON. — Il est mort! Quoi! Monsieur, vous m'en donnez [1] aussi,
A moi, de votre cœur l'unique secrétaire,
1170 A moi, de vos secrets le grand dépositaire [2]?
Avec ces qualités j'avais lieu d'espérer
Qu'assez malaisément je pourrais m'en parer [3].

DORANTE. — Quoi! mon combat te semble un conte imaginaire?

CLITON. — Je croirai tout, Monsieur, pour ne vous pas déplaire;
1175 Mais vous en contez tant, à toute heure, en tous lieux,
Qu'il faut bien de l'esprit avec vous, et bons yeux.
More, juif ou chrétien, vous n'épargnez personne.

DORANTE. — Alcippe te surprend, sa guérison t'étonne!
L'état où je le mis était fort périlleux;
1180 Mais il est à présent des secrets merveilleux :
Ne t'a-t-on point parlé d'une source de vie
Que nomment nos guerriers poudre de sympathie [4]?
On en voit tous les jours des effets étonnants.

CLITON. — Encor ne sont-ils pas du tout [5] si surprenants;
1185 Et je n'ai point appris qu'elle eût tant d'efficace [6],
Qu'un homme que pour mort on laisse sur la place,
Qu'on a de deux grands coups percé de part en part,
Soit dès le lendemain si frais et si gaillard.

DORANTE. — La poudre que tu dis n'est que de la commune,
1190 On n'en fait plus de cas; mais, Cliton, j'en sais une
Qui rappelle si tôt des portes du trépas
Qu'en moins d'un tournemain [7] on ne s'en souvient pas;
Quiconque la sait faire a de grands avantages.

CLITON. — Donnez-m'en le secret, et je vous sers sans gages.

DORANTE. — 1195 Je te le donnerais, et tu serais heureux;
Mais le secret consiste en quelques mots hébreux,
Qui tous à prononcer sont si fort difficiles,
Que ce seraient pour toi des trésors inutiles.

CLITON. — Vous savez donc l'hébreu?

DORANTE. — L'hébreu? parfaitement :
1200 J'ai dix langues, Cliton, à mon commandement.

---

1. Sous-entendu : à croire; vous cherchez à me tromper. Voir les v. 1360 et 1744.—2. Ces mots reviennent pour la troisième fois (voir les v. 701 et 1129), mais cette fois-ci dans la bouche de Cliton. — 3. Reprise des v. 703-704. C'était alors une moquerie. Ils sont devenus vrais : l'ironie change de ton. — 4. Remède qui fut introduit en France peu après 1640 (encore un trait d'actualité). Cette *poudre*, préparation de vitriol calciné, tirait son nom de ce que, croyait-on, elle guérissait les blessures à distance : il suffisait d'en répandre sur le sang versé, qui agissait alors par *sympathie* sur le corps dont il était sorti. — 5. Tout à fait. — 6. Efficacité. — 7. Le temps de *tourner* la *main*. L'expression actuelle : *un tour de main* en est une déformation, née du besoin de faire coïncider une syntaxe plus moderne avec les syllabes de l'ancienne expression.

CLITON. — Vous auriez bien besoin de dix des mieux nourries
Pour fournir tour à tour à tant de menteries;
Vous les hachez menu comme chair à pâtés.
Vous avez tout le corps bien plein de vérités,
1205 Il n'en sort jamais une.

DORANTE. — Ah! cervelle ignorante!
Mais mon père survient.

● **« La Verdad Sospechosa » (III, 8, suite de la p. 87) :**

TRISTAN. — A moi aussi vous m'en payez! Au secrétaire de votre âme! *(A part.)* Par Dieu, je connais sa manie et je l'ai cru! Mais qui ces mensonges si bien inventés ne tromperaient-ils pas?
DON GARCIA. — Sans aucun doute, on a dû se servir de formules magiques pour le soigner!
TRISTAN. — Une estafilade qui a fait éclater la cervelle? Remis en si peu de temps?
DON GARCIA. — Est-ce extraordinaire? Je sais une formule avec laquelle, à Salamanque, fut guéri un homme à qui on avait coupé d'un coup d'épée le bras au ras de l'épaule : on le lui a recollé et, en moins d'une semaine, il était aussi sain et vif qu'auparavant.
TRISTAN. — C'est trop fort.
DON GARCIA. — Ce n'est pas un conte. Je l'ai vu moi-même.
TRISTAN. — Cela suffit.
DON GARCIA. — C'est la vérité, par ma vie, et je n'en retrancherai pas un mot.
TRISTAN, *à part.* — Comme quoi personne ne se connaît! *(Haut.)* Seigneur, en guise de gages, enseigne-moi cette formule.
DON GARCIA. — Ce sont des mots hébreux, tu ignores cette langue et tu ne pourrais pas les prononcer.
TRISTAN. — Et tu la connais toi?
DON GARCIA. — Bien sûr! Mieux que le castillan! Je parle dix langues!
TRISTAN, *à part.* — Et toutes ensemble elles ne suffisent pas pour tes mensonges! *(Haut.)* Ton corps est plein de vérités, on a raison de le dire : il n'en sort aucune *(à part)*, mais en revanche aucun mensonge ne reste dedans.

● **La scène est imitée de l'espagnol** — Corneille en reprend l'idée et les principales plaisanteries : Dorante maintient son mensonge contre l'évidence, au prix d'un nouveau mensonge, il parle d'un remède miracle; la fin de la scène est traduite littéralement.

① Pourtant les modifications sont notables. Étudiez comment Corneille modifie les rapports du maître et du valet. Montrez que la vie du personnage de Cliton tient à une alternance entre un respect que lui conseille la prudence, et une insolence qu'il a du mal à contenir.

● **Pourquoi Dorante ment-il?** — On peut d'abord penser que l'exploitation de la situation l'emporte sur la cohérence du personnage. Pourtant l'épisode n'est pas arbitraire; les mensonges de Dorante sont gratuits, mais par là-même révélateurs : il ment pour lui-même.

— Lorsqu'il invente la mort d'Alcippe (sc. 1), aucune nécessité ne le pousse : il saisit toute occasion offerte d'inventer un *roman* (v. 356). Les éléments du réel excitent sa verve créatrice, et Cliton est moins un interlocuteur à tromper qu'un auditeur à charmer.

— Lorsqu'il s'obstine à défendre son mensonge (sc. 3), Dorante ne cherche nullement à convaincre à nouveau Cliton. Il reste dans l'imaginaire, et veut aller jusqu'au bout de sa mystification, pour son plaisir et pour sa gloire : le Menteur n'est lui-même qu'en niant la défaite et les démentis. Ce mélange d'héroïsme et d'enfantillage forme le contrepoint comique du véritable héroïsme.

SCÈNE IV. — GÉRONTE, DORANTE, CLITON.

GÉRONTE. — Je vous cherchais, Dorante.

DORANTE, *à part.*

— Je ne vous cherchais pas, moi. Que mal à propos
Son abord importun vient troubler mon repos!
Et qu'un père incommode un homme de mon âge [1]!

GÉRONTE. - 1210 Vu l'étroite union que fait le mariage,
J'estime qu'en effet [2] c'est n'y consentir point
Que laisser désunis ceux que le Ciel a joint [3].
La raison le défend, et je sens dans mon âme
Un violent désir de voir ici ta femme.
1215 J'écris donc à son père; écris-lui comme moi :
Je lui mande qu'après ce que j'ai su de toi,
Je me tiens trop heureux qu'une si belle fille,
Si sage et si bien née, entre dans ma famille.
J'ajoute à ce discours que je brûle de voir
1220 Celle qui de mes ans devient l'unique espoir;
Que pour me l'amener tu t'en vas en personne;
Car enfin il le faut, et le devoir l'ordonne :
N'envoyer qu'un valet sentirait son [4] mépris.

DORANTE. — De vos civilités il sera bien surpris,
1225 Et pour moi, je suis prêt; mais je perdrai ma peine :
Il ne souffrira pas encor qu'on vous l'amène;
Elle est grosse.

GÉRONTE. — Elle est grosse!

DORANTE. — Et de plus de six mois.

GÉRONTE. — Que de ravissements je sens à cette fois!

DORANTE. — Vous ne voudriez pas hasarder [5] sa grossesse?

GÉRONTE. - 1230 Non, j'aurai patience autant que d'allégresse;
Pour hasarder ce gage [6] il m'est trop précieux.
A ce coup [7] ma prière a pénétré les Cieux :
Je pense en le voyant que je mourrai de joie.
Adieu : je vais changer la lettre que j'envoie,
1235 En écrire à son père un nouveau compliment,
Le prier d'avoir soin de son accouchement,
Comme du seul espoir où [8] mon bonheur se fonde.

DORANTE, *à Cliton.*

— Le bonhomme s'en va le plus content du monde.

---

1. Sur ce manque d'affection, voir le v. 1150 et *l'Amour filial chez Dorante*, p. 87. — 2. En réalité. — 3. Voir p. 76, n. 6. — 4. Indiquerait du... — 5. Exposer aux hasards, c'est-à-dire aux dangers du voyage. Le mot *hasard*, plus fort que de nos jours, avait souvent le sens de « péril ». — 6. *Gage* d'avenir et de bonheur pour le futur grand-père. Il s'agit d'Orphise et de l'enfant qu'elle porte. — 7. Pour cette fois. — 8. Sur lequel.

GÉRONTE. *se retournant.*
— Écris-lui comme moi.

DORANTE. — Je n'y manquerai pas.
1240 Qu'il est bon!

CLITON. — Taisez-vous, il revient sur ses pas.

● « La Verdad Sospechosa» (III, 2) :

(Don Beltran tient une lettre ouverte et la donne à Don Garcia.)
DON BELTRAN. — Avez-vous écrit, Don Garcia?
DON GARCIA. — J'écrirai cette nuit.
DON BELTRAN. — Je vous donne donc ma lettre ouverte : lisez-la, et écrivez à votre beau-père dans le même sens que moi. J'ai décidé que vous iriez en personne chercher votre épouse. La raison le veut : puisque vous pouvez y aller vous-même, envoyer quelqu'un serait marque de trop peu d'estime.
DON GARCIA. — Tu as raison. Mais à l'heure présente mon voyage serait sans effet.
DON BELTRAN. — Pourquoi?
DON GARCIA. — Parce qu'elle est grosse. Et jusqu'à ce qu'elle te donne un heureux petit fils, il n'est pas bon d'exposer sa personne aux risques du chemin.
DON BELTRAN. — Jésus! Dans son état ce serait de la folie de voyager. Mais, dis-moi, comment jusqu'ici ne m'en as-tu rien dit, Garcia?
DON GARCIA. — Parce que je ne le savais pas moi-même. C'est dans la lettre que j'ai reçue hier que Doña Sancha me dit que sa grossesse est maintenant certaine.
DON BELTRAN. — Si elle me donne un petit enfant mâle, ma vieillesse sera heureuse. Donne *(il reprend la lettre qu'il avait donnée)*, il est bon que j'ajoute un mot pour dire la joie que je ressens à cette nouvelle. Ah, dis-moi, quel est le nom de ton beau-père?

(Suite p. 93.)

● **La scène** 4 marque une étape nouvelle dans l'aventure de Dorante, qui joue de plus en plus sur la corde raide. Pourtant, cette scène se justifie mal : que vient faire Géronte, à cette heure matinale, sur la Place Royale?

① Corneille est devant un choix : ou supprimer une scène comique, ou l'introduire avec un peu d'arbitraire, au détriment des règles. Le dramaturge l'emporte sur le théoricien, et il conserve la scène. A-t-il eu raison?

● **Comparaison avec le texte espagnol** — Corneille suit de près le mouvement du modèle, mais il modifie considérablement la figure de Géronte et donne à son optimisme une expression comique. Ce n'est plus le père digne de la comédie espagnole, c'est le père ridicule de la comédie italienne.
② Ce personnage est-il le même que celui qui paraîtra à l'acte V, scène 3? Que pensez-vous de l'effet de contraste ainsi préparé?

● **« Le bonhomme s'en va le plus content du monde »** (v. 1238) — Dorante est satisfait d'avoir dupé son père par un mensonge nouveau. Il y a mis beaucoup de coquetterie et d'habileté. Il a gagné, il respire.

③ Quel est l'effet des fausses sorties de Géronte?

④ L'habileté du menteur n'est pas ainsi soulignée dans le texte espagnol. Montrez qu'elle rappelle la scène 5 de l'acte II (un Dorante habile à manœuvrer son père) et prépare, par contraste, la seconde moitié de la scène, où il aura à faire face, non aux soupçons ou aux volontés du vieillard, mais à une question posée en toute innocence.

GÉRONTE. — Il ne me souvient plus du nom de ton beau-père.
Comment s'appelle-t-il?

DORANTE. — Il[1] n'est pas nécessaire;
Sans que vous vous donniez ces soucis superflus,
En fermant le paquet j'écrirai le dessus[2].

GÉRONTE. - 1245 Étant tout d'une main, il[1] sera plus honnête.

DORANTE, *à part le premier vers.*
— Ne lui pourrai-je ôter ce souci de la tête?
Votre main ou la mienne, il n'importe des deux[3].

GÉRONTE. — Ces nobles de province y[4] sont un peu fâcheux[5].

DORANTE. — Son père sait la cour[6].

GÉRONTE. — Ne me fais plus attendre.
1250 Dis-moi...

DORANTE, *à part.*
— Que lui dirai-je?

GÉRONTE. — Il s'appelle?

DORANTE. — Pyrandre.

GÉRONTE. — Pyrandre! tu m'as dit tantôt un autre nom :
C'était, je m'en souviens, oui, c'était Armédon.

DORANTE. — Oui, c'est là son nom propre, et l'autre d'une terre;
Il portait ce dernier quand il fut à la guerre,
1255 Et se sert si souvent de l'un et l'autre nom,
Que tantôt c'est Pyrandre, et tantôt Armédon.

GÉRONTE. — C'est un abus commun qu'autorise l'usage,
Et j'en usais ainsi du temps de mon jeune âge.
Adieu : je vais écrire.

SCÈNE V. — DORANTE, CLITON.

DORANTE. — Enfin j'en suis sorti.

CLITON. - 1260 Il faut bonne mémoire après qu'on a menti.

DORANTE. — L'esprit a secouru le défaut de mémoire.

CLITON. — Mais on éclaircira bientôt toute l'histoire.
Après ce mauvais pas où vous avez bronché,
Le reste encor longtemps ne peut être caché :
1265 On le sait chez Lucrèce, et chez cette Clarice,
Qui, d'un mépris si grand piquée avec justice,
Dans son ressentiment prendra l'occasion
De vous couvrir de honte et de confusion.

DORANTE. — Ta crainte est bien fondée, et puisque le temps presse,
1270 Il faut tâcher en hâte à m'engager Lucrèce[7].
Voici tout à propos ce que j'ai souhaité.

---

1. Neutre : cela. — 2. Ce qui est écrit *sur* le paquet : l'adresse. — 3. Laquelle *des deux* — 4. Sur ce point. — 5. Susceptibles. — 6. Il connaît les mœurs et il a les manières de la Cour. — 7. La décider à s'*engager* avec moi.

● **« La Verdad sospechosa » (III, 3,** suite de la p. 91) :

DON GARCIA. — De qui?
DON BELTRAN. — De ton beau-père.
DON GARCIA, *à part.* — C'est ma perte! *(Haut.)* Don Diego!
DON BELTRAN. — Ou je me suis trompé, ou l'autre fois tu me l'as nommé Don Pedro.
DON GARCIA. — Je me souviens de cela aussi. Mais les deux noms lui appartiennent.
DON BELTRAN. — Diego et Pedro!
DON GARCIA. — Ne t'étonne pas. Une coutume veut que l'héritier du titre se nomme Don Diego. Mon beau-père se nommait Don Pedro avant d'être héritier. Et comme il se fit appeler Don Diego après avoir hérité, depuis on l'appelle là-bas tantôt Don Pedro, et tantôt Don Diego.
DON BELTRAN. — Cette coutume en effet est d'usage fréquent dans plus d'une maison d'Espagne. Je vais écrire. *(Il s'en va.)*
TRISTAN. — Cette fois-ci, tu as été dans un embarras extrême.
DON GARCIA. — Tu as entendu l'histoire?
TRISTAN. — Il y avait de quoi entendre! Celui qui ment a besoin de beaucoup d'esprit et de mémoire.
DON GARCIA. — Je me suis vu perdu.
TRISTAN. — C'est ainsi que cela finira.
DON GARCIA. — Mais auparavant j'aurai connu le succès ou l'échec de mon amour.

● **La question de Géronte** (v. 1241) est, de la part du vieillard, sans arrière-pensée; de même son étonnement du vers 1251 ne va pas jusqu'au soupçon. Mais peut-être tient-on là une des raisons pour lesquelles Corneille a fait son Géronte si ridicule : car plus le bonhomme est inconscient de l'embarras où il jette son fils, plus la scène est comique.

● **Dorante dans un « mauvais pas »** (v. 1263) — Corneille développe en une dizaine de vers une brève hésitation qui tient en deux mots dans le modèle espagnol. C'est que la situation où se trouve Dorante est particulièrement délicate. L'autorité du père de famille est la seule que Dorante ait à craindre, et cette crainte n'est pas vaine. Aussi n'a-t-il plus tout à fait sa belle assurance.

① Montrez que Corneille accuse le plus qu'il le peut le comique de cet épisode. Dans quel dessein?

● **Pyrandre ou Armédon** — Les noms grecs masquent une réalité sociale. La substitution d'un nom de terre à un nom de famille est fréquente dans la noblesse, elle permet de distinguer un cadet d'un aîné; cela deviendra bientôt un procédé utilisé par certains bourgeois pour masquer d'un titre à particule un nom trop roturier : cf. *l'École des femmes* (1662), où Arnolphe se fait appeler Monsieur de la Souche, et où Molière se moque du propre frère cadet de Corneille, qui se faisait appeler Corneille de l'Isle.

② Le rétablissement de la situation est donc habile. Il pourrait satisfaire même un homme moins crédule que Géronte. Une tradition non datée veut qu'à ce moment Cliton, frappé d'admiration, saisisse la basque de l'habit de son maître et la baise. Que pensez-vous de ce jeu de scène?

● **La scène 5** est, comme après toute grande scène de mensonge dans la pièce, le commentaire qu'en font Dorante et Cliton. Mais ici le ton est nouveau.

③ Malgré sa victoire, Dorante ne dit que peu de chose. Est-il encore sous le coup de l'émotion? Montrez que l'inquiétude le gagne.

Scène VI. — DORANTE, CLITON, SABINE.

DORANTE. — Chère amie, hier au soir j'étais si transporté,
Qu'en ce ravissement je ne pus me permettre
De bien penser à toi, quand j'eus lu cette lettre;
1275 Mais tu n'y perdras rien, et voici pour le port.

SABINE. — Ne croyez pas, Monsieur...

DORANTE. — Tiens.

SABINE. — Vous me faites tort.
Je ne suis pas de...

DORANTE. — Prends.

SABINE. — Eh! Monsieur.

DORANTE. — Prends, te dis-je :
Je ne suis point ingrat alors que l'on m'oblige;
Dépêche, tends la main.

CLITON. — Qu'elle y fait de façons!
1280 Je lui veux par pitié donner quelques leçons.
Chère amie, entre nous, toutes tes révérences
En ces occasions ne sont qu'impertinences [1];
Si ce n'est assez d'une, ouvre toutes les deux :
Le métier que tu fais ne veut point de honteux.
1285 Sans te piquer d'honneur, crois qu'il n'est que de prendre [2],
Et que tenir vaut mieux mille fois que d'attendre.
Cette pluie [3] est fort douce, et quand j'en vois pleuvoir,
J'ouvrirais jusqu'au cœur pour la mieux recevoir.
On prend à toutes mains dans le siècle où nous sommes,
1290 Et refuser n'est plus le vice des grands hommes [4].
Retiens bien ma doctrine; et pour faire amitié,
Si tu veux, avec toi je serai de moitié.

SABINE. — Cet article est de trop.

DORANTE. — Vois-tu, je me propose
De faire avec le temps pour toi tout autre chose.
1295 Mais comme j'ai reçu cette lettre de toi,
En voudrais-tu donner la réponse pour moi?

SABINE. — Je la donnerai bien, mais je n'ose vous dire
Que ma maîtresse daigne ou la prendre ou la lire :
J'y ferai mon effort.

CLITON. — Voyez, elle se rend [5]
1300 Plus douce qu'une épouse, et plus souple qu'un gant.

---

1. Sens étymologique : contretemps. — 2. Il n'y a qu'à *prendre*. — 3. Cette métaphore, que Cliton et Sabine vont reprendre maintenant constamment comme un jeu (v. 1352, 1440, 1797), est pittoresque mais non pas neuve à l'époque. — 4. Cliton s'amuse à se compter au rang des *grands hommes*, et c'est pourquoi il affirme qu'ils savent, à son exemple, ne plus refuser d'argent. Il y a peut-être, derrière ces vers, une intention satirique dont le sens précis nous échappe. — 5. Elle devient.

DORANTE. — Le secret a joué [1]. Présente-la, n'importe;
Elle [2] n'a pas pour moi d'aversion si forte.
Je reviens dans une heure en apprendre l'effet [3].

SABINE. — Je vous conterai lors tout ce que j'aurai fait.

SCÈNE VII. — CLITON, SABINE.

CLITON. - 1305 Tu vois que les effets préviennent les paroles;
C'est un homme qui fait litière de pistoles [4];
Mais comme auprès de lui je puis beaucoup pour toi...

SABINE. — Fais tomber de la pluie, et laisse faire à moi [5].

CLITON. — Tu viens d'entrer en goût.

SABINE. — Avec mes révérences,
1310 Je ne suis pas encor si dupe que tu penses.
Je sais bien mon métier, et ma simplicité
Joue aussi bien son jeu que ton avidité.

---

1. Le ressort a fonctionné; l'argent a produit son effet. — 2. Lucrèce. — 3. Voir l'acte V, sc. 5. — 4. Prodigue les *pistoles*; image courante à l'époque. — 5. Laisse-moi faire.

● **L'entrée de Sabine** est justifiée : elle guette, de la maison de Lucrèce, le moment où Dorante sera seul (v. 1345-46). C'est déjà ainsi qu'elle avait fait son apparition à la fin de l'acte II (v. 855-56) Il est vrai qu'elle arrive *tout à propos* (v. 1271). Mais ce hasard trop bien arrangé, loin d'être arbitraire, souligne le comique de la situation : Dorante et Lucrèce souhaitent la même chose, et imaginent le même procédé : se servir de Sabine comme intermédiaire.

● **Corneille n'a pas trouvé de scène semblable dans son modèle.** La remise de la lettre est placée dans l'entracte et fait l'objet d'une mention rapide. Corneille tire de cette donnée quelques scènes où le personnage de Sabine, jusque là presque inexistant, mène le jeu, en accordant l'amour et son propre intérêt. Elle apparaît comme un type de la comédie italienne.

① Ce développement du personnage a quelque chose d'arbitraire. Corneille étire les scènes pour emplir son acte. Cherchez-en quelques exemples.

② « Ces scènes, qui ne consistent qu'à donner de l'argent à des suivantes qui font des façons et qui acceptent, sont devenues aussi insipides que fréquentes; mais alors la nouveauté empêchait qu'on en sentît toute la froideur » (Voltaire). Que pensez-vous de ce jugement?

● L'épisode est développé comme **une petite comédie**, dont l'effet repose sur un retournement. Cliton croit y donner des conseils à une novice. Mais les conseils étaient inutiles. Sabine le laisse comprendre (v. 1293) avant de le dire clairement (v. 1311-12) : elle souligne ainsi spirituellement le ridicule de Cliton.

CLITON. — Si tu sais ton métier, dis-moi quelle espérance
Doit obstiner [1] mon maître à la persévérance.
1315 Sera-t-elle insensible ? en viendrons-nous à bout ?

SABINE. — Puisqu'il est si brave [2] homme, il faut te dire tout.
Pour te désabuser, sache donc que Lucrèce
N'est rien moins qu'insensible à l'ardeur qui le presse ;
Durant toute la nuit elle n'a point dormi ;
1320 Et, si je ne me trompe, elle l'aime à demi.

CLITON. — Mais sur quel privilège est-ce qu'elle se fonde,
Quand elle aime à demi, de maltraiter le monde ?
Il n'en a cette nuit reçu que des mépris.
Chère amie, après tout, mon maître vaut son prix.
1325 Ces amours à demi sont d'une étrange espèce ;
Et, s'il voulait me croire, il quitterait Lucrèce.

SABINE. — Qu'il ne se hâte point, on l'aime assurément.

CLITON. — Mais on le lui témoigne un peu bien rudement ;
Et je ne vis jamais de méthodes pareilles.

SABINE. — 1330 Elle tient, comme on dit, le loup par les oreilles [3] ;
Elle l'aime, et son cœur n'y saurait consentir,
Parce que d'ordinaire il ne fait que mentir.
Hier même elle le vit dedans les Tuileries,
Où tout ce qu'il conta n'était que menteries.
1335 Il en a fait autant depuis à deux ou trois.

CLITON. — Les menteurs les plus grands disent vrai quelquefois.

SABINE. — Elle a lieu de douter et d'être en défiance.

CLITON. — Qu'elle donne à ses feux un peu plus de croyance :
Il n'a fait toute nuit [4] que soupirer d'ennui [5].

SABINE. — 1340 Peut-être que tu mens aussi bien comme lui.

CLITON. — Je suis homme d'honneur ; tu me fais injustice.

SABINE. — Mais dis-moi, sais-tu bien qu'il n'aime plus Clarice ?

CLITON. — Il ne l'aima jamais.

SABINE. — Pour certain ?

CLITON. — Pour certain.

SABINE. — Qu'il ne craigne donc plus de soupirer en vain.
1345 Aussitôt que Lucrèce a pu le reconnaître,
Elle a voulu qu'exprès je me sois fait paraître [6],
Pour voir si par hasard il ne me dirait rien ;
Et s'il l'aime en effet [7], tout le reste ira bien.
Va-t'en ; et, sans te mettre en peine de m'instruire,
1350 Crois que je lui dirai tout ce qu'il lui faut dire.

CLITON. — Adieu : de ton côté si tu fais ton devoir,
Tu dois croire du mien que je ferai pleuvoir.

---

1. *Doit* engager mon maître à s'*obstiner*. — 2. Généreux, libéral. — 3. Le sens de ce proverbe est qu'elle ne sait à quoi se résoudre. — 4. *Toute* la *nuit*. — 5. Peine amoureuse. — 6. *Je me sois* montrée. L'expression *se faire paraître* était fréquente au XVIIe s. — 7. Réellement.

SCÈNE VIII. — LUCRÈCE, SABINE.

SABINE. — Que je vais bientôt voir une fille contente!
Mais la voici déjà; qu'elle est impatiente!
1355 Comme elle a les yeux fins, elle a vu le poulet [1].

LUCRÈCE. — Eh bien! que t'ont conté le maître et le valet?

SABINE. — Le maître et le valet m'ont dit la même chose :
Le maître est tout à vous, et voici de sa prose.

LUCRÈCE, *après avoir lu.*
— Dorante avec chaleur fait le passionné;
1360 Mais le fourbe qu'il est nous en a trop donné [2],
Et je ne suis pas fille à croire ses paroles.

SABINE. — Je ne les crois non plus; mais j'en crois ses pistoles.

LUCRÈCE. — Il t'a donc fait présent?

SABINE. — Voyez.

LUCRÈCE. — Et tu l'as pris?

SABINE. — Pour vous ôter du trouble où flottent vos esprits,
1365 Et vous mieux témoigner ses flammes véritables,
J'en ai pris les témoins les plus indubitables;
Et je remets, Madame, au jugement de tous
Si [3] qui donne à vos gens est sans amour pour vous,
Et si ce traitement marque une âme commune.

LUCRÈCE. - 1370 Je ne m'oppose pas à ta bonne fortune;
Mais comme en l'acceptant tu sors de ton devoir,
Du moins une autre fois ne m'en fais rien savoir.

1. La lettre d'amour. — 2. *A trop* cherché à nous tromper. — 3. De savoir *si*; interrogative indirecte, objet de l'expression verbale : *je remets au jugement...*, par analogie avec la construction du verbe *juger*.

- **Sabine est une « femme de chambre »,** elle ne raffine pas comme ses maîtresses; en matière de sentiment, elle dit les choses franchement quand il le faut. Elle est digne en cela de donner la réplique à Cliton.

  ① Commentez quelques exemples dans les scènes 6 à 9 (notamment v. 1330-1334, 1368-69, 1396, 1414-1415, 1437-1439).

- **Elle connaît admirablement son jeu** — Elle ne révèle pas toute la vérité à Cliton mais elle en obtient des renseignements utiles. Avec sa maîtresse, dont elle a percé les sentiments, elle est plus franche; mais elle sert les intérêts de Dorante, parce que ce sont les siens.

  ② Montrez, dans ce mélange d'esprit et d'habileté, la part de la tradition comique et les mérites de Corneille.

  ③ Montrez que, par ses encouragements, Sabine fait progresser l'intrigue en liant davantage Lucrèce (la vraie) à Dorante et Dorante à « Lucrèce » (Clarice), et qu'elle est en fait pour beaucoup dans l'imbroglio final.

SABINE. — Mais à ce libéral que pourrai-je promettre?

LUCRÈCE. — Dis-lui que sans la voir j'ai déchiré sa lettre.

SABINE. 1375 O ma bonne fortune, où vous enfuyez-vous!

LUCRÈCE. — Mêles-y de ta part deux ou trois mots plus doux;
Conte-lui dextrement [1] le naturel des femmes;
Dis-lui qu'avec le temps on amollit leurs âmes,
Et l'avertis surtout des heures et des lieux
1380 Où par rencontre [2] il peut se montrer à mes yeux.
Parce qu'il est grand fourbe, il faut que je m'assure [3].

SABINE. — Ah! si vous connaissiez les peines qu'il endure,
Vous ne douteriez plus si son cœur est atteint;
Toute nuit il soupire, il gémit, il se plaint.

LUCRÈCE. - 1385 Pour apaiser les maux que cause cette plainte,
Donne-lui de l'espoir avec beaucoup de crainte;
Et sache entre les deux toujours le modérer,
Sans m'engager à lui ni le désespérer.

Scène IX. — CLARICE, LUCRÈCE, SABINE.

CLARICE. — Il t'en veut tout de bon, et m'en voilà défaite [4];
1390 Mais je souffre aisément la perte que j'ai faite :
Alcippe la répare, et son père est ici.

LUCRÈCE. — Te voilà donc bientôt quitte d'un grand souci?

CLARICE. — M'en voilà bientôt quitte; et toi, te voilà prête
A t'enrichir bientôt d'une étrange conquête.
1395 Tu sais ce qu'il m'a dit.

SABINE. — S'il vous mentait alors,
A présent il dit vrai; j'en réponds corps pour corps [5].

CLARICE. — Peut-être qu'il le dit; mais c'est un grand peut-être.

LUCRÈCE. — Dorante est un grand fourbe, et nous l'a fait connaître;
Mais s'il continuait encore à m'en conter,
1400 Peut-être avec le temps il me ferait douter.

CLARICE. — Si tu l'aimes, du moins, étant bien avertie,
Prends bien garde à ton fait [6], et fais bien ta partie [7].

LUCRÈCE. — C'en est trop : et tu dois seulement présumer
Que je penche à le croire, et non pas à l'aimer.

---

1. Adroitement. — 2. Par hasard. — 3. Que je prenne des garanties. — 4. Débarrassée. — 5. Je *réponds* de lui comme de moi (proverbe d'origine juridique). — 6. Ce qu'il te convient de *faire*, ta conduite. — 7. Joue bien ton rôle.

CLARICE. - 1405 De le croire à l'aimer la distance est petite :
Qui fait croire ses feux fait croire son mérite;
Ces deux points en amour se suivent de si près
Que qui se croit aimée aime bientôt après [1].

---

1. Variante (1644) :

LUCRÈCE. — *Si je te disais donc qu'il va jusqu'à m'écrire,*
Que je tiens son billet, que j'ai voulu le lire?
CLARICE. — *Sans craindre d'en trop dire ou d'en trop présumer,*
Je dirais que déjà tu vas jusqu'à l'aimer.

Ces quatre vers, intercalés entre les v. 1408 et 1409, ont disparu des éditions ultérieures, on ne sait pourquoi.

- **Lucrèce** dans cette fin d'acte, prend un visage plus précis. En la montrant amoureuse de Dorante, Corneille prépare son public au dénouement.

  ① Cherchez dans le comportement de Lucrèce ce qui trahit l'amour derrière la coquetterie : impatience, méfiance, honte, ruses. Est-elle pleinement consciente du sentiment qu'elle éprouve?

  ② Même ainsi précisée, la physionomie de Lucrèce n'est pas fortement individualisée. Montrez que ce genre de personnage convient admirablement à une figure de second plan dans une comédie d'intrigue.

  ③ La scène est librement adaptée d'Alarcon (III, 1). Chez lui, Lucrecia imagine son manège de propos délibéré. La scène n'est qu'une étape de l'action. La Lucrèce de Corneille permet de surcroît le développement d'une petite comédie. Déterminez-en le ton et les procédés.

- **La scène 9 est traduite au contraire** presque littéralement de *la Verdad sospechosa* (III, 9). Elle est apparemment futile, et de surcroît mal rattachée à la précédente. Elle est pourtant indispensable : avant l'imbroglio final, elle fait le point des sentiments des deux jeunes filles.

- **« La Verdad sospechosa » (III, 4) :**

JACINTA. — Ainsi Don Garcia persévère?
LUCRECIA. — Oui, et j'ai beau connaître sa manière trompeuse de procéder, quand je vois sa persévérance, je suis prête à douter.
JACINTA. — Peut-être ne te trompe-t-il pas, car la vérité n'est pas interdite dans la bouche d'un menteur. Peut-être est-il vrai qu'il t'aime : ta beauté peut faire naître l'amour dans le cœur de tout homme.
LUCRECIA. — Toujours tu me flattes. Je le croirais peut-être, s'il ne t'avait pas vue, toi qui fais pâlir le soleil.
JACINTA. — Tu sais bien ce que tu vaux et, si nous rivalisons en beauté, jamais aucune sentence n'a pu être rendue. Et puis la beauté n'est pas la seule cause de l'amour, il connaît aussi les caprices du hasard. Je me réjouis que Don Garcia t'ait choisie à ma place, et qu'il t'accorde ce qu'à ses yeux je n'ai pas mérité. Car tu n'en es pas responsable, et il ne me doit rien. Pourtant, prends bien garde! Tu serais inexcusable de te mettre précipitamment à l'aimer, et d'être abusée à la fin, car tu es prévenue qu'il ne sait que tromper.
LUCRECIA. — Merci Jacinta, mais chasse ce soupçon. Dis que je suis disposée à le croire, non à l'aimer.
JACINTA. — Si tu le crois, il t'attache; une fois liée, tu l'aimeras. Le chemin n'est pas long qui va de croire à aimer.
LUCRECIA. — Et que diras-tu si tu apprends que j'ai reçu une lettre de lui?
JACINTA. — Je dirai que déjà tu l'as cru, et que déjà tu l'aimes (suite, p. 101).

LUCRÈCE. — La curiosité souvent dans quelques âmes
1410 Produit le même effet que produiraient des flammes [1].

CLARICE. — Je suis prête à le croire afin de t'obliger.

SABINE. — Vous me feriez ici toutes deux enrager.
Voyez, qu'il est besoin de tout ce badinage!
Faites moins la sucrée [2], et changez de langage,
1415 Ou vous n'en casserez, ma foi, que d'une dent [3].

LUCRÈCE. — Laissons là cette folle, et dis-moi cependant,
Quand nous le vîmes hier dedans les Tuileries,
Qu'il te conta d'abord tant de galanteries,
Il fut, ou je me trompe, assez bien écouté.
1420 Était-ce amour alors, ou curiosité?

CLARICE. — Curiosité pure, avec dessein de rire
De tous les compliments qu'il aurait pu me dire.

LUCRÈCE. — Je fais de ce billet même chose à mon tour;
Je l'ai pris, je l'ai lu, mais le tout sans amour :
1425 Curiosité pure, avec dessein de rire
De tous les compliments qu'il aurait pu m'écrire.

CLARICE. — Ce sont deux [4] que de lire et d'avoir écouté :
L'un est grande faveur; l'autre, civilité;
Mais trouves-y ton compte, et j'en serai ravie;
1430 En l'état où je suis j'en parle sans envie.

LUCRÈCE. — Sabine lui dira que je l'ai déchiré.

CLARICE. — Nul avantage ainsi n'en peut être tiré.
Tu n'es que curieuse.

LUCRÈCE. — Ajoute : à ton exemple.

CLARICE. — Soit. Mais il est saison [5] que nous allions au temple [6].

LUCRÈCE, *à Clarice.*
- 1435 Allons.

(A Sabine.)
Si tu le vois, agis comme tu sais.

SABINE. — Ce n'est pas sur ce coup que je fais mes essais :
Je connais à tous deux où tient la maladie,
Et le mal sera grand si je n'y remédie;
Mais sachez qu'il est homme à prendre sur le vert [7].

LUCRÈCE. - 1440 Je te croirai.

SABINE. — Mettons cette pluie à couvert.

1. Celles de l'amour. — 2. Ne prenez pas des airs hypocrites de modestie. — 3. Proverbe qui signifie : ne mordre qu'un petit morceau; donc : ne pas obtenir ce qu'on souhaite. — 4. *Deux* choses différentes. — 5. *Il est* temps. — 6. A l'église. Corneille, comme la plupart de ses contemporains, évite d'employer sur le théâtre les mots propres de la religion. — 7. Expression obscure, sans doute un proverbe dont le sens est perdu. « Pendant qu'on le tient », « avant qu'il ne change », est l'explication la plus plausible.

● « **La Verdad sospechosa** » (**III, 4,** suite de la p. 99)

LUCRECIA. — Et tu te tromperas! Parfois l'on fait par curiosité ce qu'on ne ferait pas par amour. Toi-même, n'as-tu pas pris plaisir à lui parler à la Plateria?
JACINTA. — Si.
LUCRECIA. — Et l'as-tu écouté par amour ou par curiosité?
JACINTA. — Par curiosité.
LUCRECIA. — J'en fais de même : j'ai reçu sa lettre, comme tu l'as écouté, par curiosité.
JACINTA. — Erreur notoire! Tu le reconnaîtras, si tu remarques qu'écouter quelqu'un est pure politesse, mais recevoir une lettre, véritable faveur.
LUCRECIA. — Cela serait, s'il savait que j'ai reçu sa lettre, mais il croit que je l'ai déchirée sans la lire.
JACINTA. — De la sorte, nous sommes sûres qu'il ne s'agit que de curiosité.

① La comparaison avec le texte espagnol montre que Corneille a suivi de très près son modèle. Étudiez son art de traducteur, à propos de quelques formules (v. 1400-1405: jeu de répliques sur la *curiosité*).

● **La fin de l'acte** — La scène 9 est interrompue d'une manière arbitraire (v. 1434). « Voilà une manière bien froide et bien maladroite de finir un acte. Il est temps d'aller à l'église parce que nous n'avons plus rien à nous dire » (Voltaire). La remarque est en partie justifiée, mais :

— Clarice a peut-être envie de rompre l'entretien sans répondre.
— C'est Sabine qui, pour l'instant, est chargée de mener l'intrigue (le v. 1435 le rappelle). Lucrèce attend, Clarice aussi. Rien ne peut interrompre la scène qu'une occasion arbitraire.
— De toutes façons, l'intérêt reste suffisamment éveillé.

② Déterminez le ton de la scène. Que révèlent les interventions de Sabine? De fait, les deux jeunes filles sont rivales sans oser se le dire. Montrez-le à travers l'agressivité de Clarice, les ripostes de Lucrèce, et leurs mensonges à toutes deux.

③ Faites le point des questions en suspens.

● **Structure de l'acte IV.** — Corneille, jusqu'à l'acte III, a suivi le mouvement de la pièce espagnole (il n'a supprimé que ce qui touche le père du Menteur et sa connaissance du travers de son fils). Il lui reste à transposer, en deux actes, le troisième de *la Verdad sospechosa.* Or, il refuse d'en imiter la scène principale (le tableau du Cloître) et imagine un autre dénouement. Il est donc contraint de refondre les éléments de l'espagnol dans une intrigue différente.

Il lui faut trouver un fil conducteur : ce sera la volonté de Dorante de renouer avec Lucrèce, malgré l'échec de l'entrevue du balcon. Cette volonté, affirmée dès la fin de l'acte III, justifie la présence de Dorante sur la Place Royale et donne une unité à l'acte.
Quant aux grandes scènes comiques de l'acte, elles sont *en marge* de cette intrigue. Ce sont trois épisodes imités d'Alarcon (le mensonge de la fausse mort d'Alcippe, sc. 1-3; la lettre de Géronte, sc. 4. la conversation des jeunes filles, sc. 9) et le développement du rôle de Sabine, la femme de chambre qui entend bien son métier (sc. 6-7).

④ Il y a donc beaucoup d'arbitraire dans cet acte et, en dépit du fil conducteur, l'action marque le pas. Montrez cependant que, par la variété des scènes, l'accumulation des effets, le sens du dosage des comiques de ton différent, Corneille réussit à tirer, d'un acte dont la structure est discutable *à l'analyse,* tout le comique possible en vue de la *représentation.*

ACTE V

SCÈNE PREMIÈRE. — GÉRONTE, PHILISTE.

GÉRONTE. — Je ne pouvais avoir rencontre plus heureuse
Pour satisfaire ici mon humeur curieuse.
Vous avez feuilleté le *Digeste* [1] à Poitiers,
Et vu, comme mon fils, les gens de ces quartiers [2] :
1445 Ainsi vous me pouvez facilement apprendre
Quelle est et la famille et le bien de Pyrandre.

PHILISTE. — Quel est-il, ce Pyrandre?

GÉRONTE. — Un de leurs citoyens [3],
Noble, à ce qu'on m'a dit, mais un peu mal en biens.

PHILISTE. — Il n'est dans tout Poitiers bourgeois ni gentilhomme
1450 Qui, si je m'en souviens, de la sorte se nomme.

GÉRONTE. — Vous le connaîtrez mieux peut-être à l'autre nom;
Ce Pyrandre s'appelle autrement Armédon.

PHILISTE. — Aussi peu l'un que l'autre.

GÉRONTE. — Et le père d'Orphise,
Cette rare beauté qu'en ces lieux même on prise?
1455 Vous connaissez le nom de cet objet charmant
Qui fait de ces cantons [4] le plus digne ornement?

PHILISTE. — Croyez que cette Orphise, Armédon et Pyrandre,
Sont gens dont à Poitiers on ne peut rien apprendre.
S'il vous faut sur ce point encor quelque garant...

GÉRONTE. - 1460 En faveur de mon fils vous faites l'ignorant;
Mais je ne sais que trop qu'il aime cette Orphise,
Et qu'après les douceurs d'une longue hantise [5],
On l'a seul dans sa chambre avec elle trouvé;
Que par son pistolet un désordre arrivé
1465 L'a forcé sur-le-champ d'épouser cette belle.
Je sais tout; et de plus ma bonté paternelle
M'a fait y consentir; et votre esprit discret
N'a plus d'occasion de m'en faire un secret.

PHILISTE. — Quoi! Dorante a donc fait un secret mariage?

GÉRONTE. - 1470 Et, comme je suis bon, je pardonne à son âge.

PHILISTE. — Qui vous l'a dit?

---

1. Voir p. 45, n. 1. — 2. Ce mot a le sens moderne de quartier de ville au v. 32; au v. 615 il signifie : appartement; ici, il signifie : pays. — 3. Un des habitants de leur ville *(cité)*; nous dirions : concitoyens. — 4. Portion de pays, dans un sens moins déterminé que de nos jours. — 5. Fréquentation : le fait de *hanter* quelqu'un.

GÉRONTE. — Lui-même.

PHILISTE. — Ah! puisqu'il vous l'a dit,
Il vous fera du reste un fidèle récit;
Il en sait mieux que moi toutes les circonstances.
Non qu'il vous faille en prendre aucunes défiances[1];
1475 Mais il a le talent de bien imaginer,
Et moi je n'eus jamais celui de deviner.

1. Pluriel fréquent chez Corneille et ses contemporains.

● **Il existe deux versions de cette scène** — Dans la première (éd. de 1644 à 1656), Géronte interroge Argante qui répond d'abord aux questions de Géronte comme le fera Philiste (v. 1447-1463 sans changement), mais la fin de la scène est totalement différente (à partir du v. 1469) :

ARGANTE. — Quelque envieux sans doute avec cette chimère
A voulu mettre mal le fils auprès du père;
Et l'histoire et les noms, tout n'est qu'imaginé.
Pour tomber dans ce piège, il était trop bien né,
Il avait trop de sens et trop de prévoyance.
A de si faux rapports, donnez moins de croyance.

GÉRONTE. — C'est ce que toutefois j'ai peine à concevoir :
Celui dont je le tiens disait le bien savoir,
Et je tenais la chose assez indifférente.
Mais dans votre Poitiers quel bruit avait Dorante?

ARGANTE. — D'homme de cœur, d'esprit, adroit et résolu;
Il a passé partout pour ce qu'il a voulu.
Tout ce qu'on le blâmait (mais c'étaient tours d'école),
C'est qu'il faisait mal sûr de croire à sa parole,
Et qu'il se fiait tant sur sa dextérité,
Qu'il disait peu souvent deux mots de vérité;
Mais ceux qui le blâmaient excusaient sa jeunesse;
Et comme enfin ce n'est que mauvaise finesse,
Et l'âge, et votre exemple, et vos enseignements,
Lui feront bien quitter ces divertissements.
Faites qu'il s'en corrige avant que l'on le sache :
Ils pourraient à son nom imprimer quelque tache.
Adieu : je vais rêver une heure à mon procès.

GÉRONTE. — Le Ciel suivant mes vœux en règle le succès!

La raison de la modification est d'abord d'ordre technique. Corneille s'en explique dans le premier des trois *Discours* qu'il place en tête de l'édition de 1660, où précisément il introduit la deuxième version de la scène :

Je dirai que le premier acte doit contenir les semences de tout ce qui doit arriver, tant pour l'action que pour les épisodes, en sorte qu'il n'entre aucun acteur dans les actes suivants qui ne soit connu par ce premier, ou du moins appelé par quelqu'un qui y aura été introduit. [Corneille cite ensuite divers exemples]... Le plaideur de Poitiers dans *le Menteur* avait le même défaut; mais j'ai trouvé moyen d'y remédier en cette édition, où le dénouement se trouve préparé par Philiste et non par lui.

① Corneille vous semble-t-il obéir à un scrupule excessif ou à une loi véritable de l'art dramatique?

② Corneille disposait également d'Alcippe (et dans le modèle, c'est Don Juan dont se sert Alarcon). Montrez qu'il a eu raison de ne pas l'utiliser.

③ Il arrive que l'on joue *le Menteur* en restituant la première version de cette scène. Pesez le pour et le contre.

GÉRONTE. — Vous me feriez par là soupçonner [1] son histoire.

PHILISTE. — Non, sa parole est sûre, et vous pouvez l'en croire;
Mais il nous servit [2] hier d'une collation
1480 Qui partait d'un esprit de grande invention;
Et si ce mariage est de même méthode,
La pièce [3] est fort complète et des plus à la mode.

GÉRONTE. — Prenez-vous du plaisir à me mettre en courroux?

PHILISTE. — Ma foi, vous en tenez [4] aussi bien comme nous;
1485 Et, pour vous en parler avec toute franchise,
Si vous n'avez jamais pour bru que cette Orphise,
Vos chers collatéraux s'en trouveront fort bien [5].
Vous m'entendez? Adieu : je ne vous dis plus rien.

SCÈNE II. — GÉRONTE.

GÉRONTE. — O vieillesse facile [6]! O jeunesse impudente!
1490 O de mes cheveux gris honte trop évidente!
Est-il dessous le ciel père plus malheureux?
Est-il affront plus grand pour un cœur généreux?
Dorante n'est qu'un fourbe; et cet ingrat que j'aime,
Après m'avoir fourbé, me fait fourber [7] moi-même;
1495 Et d'un discours en l'air, qu'il forge en imposteur,
Il me fait le trompette [8] et le second auteur!
Comme si c'était peu pour mon reste de vie
De n'avoir à rougir que de son infamie,
L'infâme, se jouant de mon trop de bonté,
1500 Me fait encor rougir de ma crédulité!

SCÈNE III. — GÉRONTE, DORANTE, CLITON.

GÉRONTE. — Êtes-vous gentilhomme?

DORANTE, — Ah! rencontre fâcheuse!
Étant sorti [9] de vous, la chose est peu douteuse.

GÉRONTE. — Croyez-vous qu'il suffit d'être sorti de moi?

DORANTE. — Avec toute la France aisément je le croi.

---

1. *Soupçonner* de mensonge. — 2. Raconta. Cette métaphore, tirée du vocabulaire de la table, est particulièrement amusante avec le mot de *collation* : voir le v. 365. — 3. Tromperie : voir le v. 881. — 4. Vous êtes dupé. — 5. Car ces *collatéraux* hériteront de vous, qui n'aurez pas eu de petits-enfants. — 6. Crédule. — 7. Corneille aime jouer de l'accumulation de ce terme : voir les v. 906-908. — 8. Héraut. — 9. Né de.

GÉRONTE. - [1505] Et ne savez-vous point, avec toute la France,
D'où ce titre d'honneur a tiré sa naissance,
Et que la vertu seule a mis en ce haut rang
Ceux qui l'ont jusqu'à moi fait passer dans leur sang?

DORANTE. — J'ignorerais un point que n'ignore personne,
[1510] Que la vertu l'acquiert, comme le sang le donne.

GÉRONTE. — Où le sang a manqué, si la vertu l'acquiert,
Où le sang l'a donné, le vice aussi le perd [1].
Ce qui naît d'un moyen périt par son contraire;
Tout ce que l'un a fait, l'autre peut le défaire;
[1515] Et dans la lâcheté du vice où je te voi,
Tu n'es plus gentilhomme, étant [2] sorti de moi.

---

1. L'ordre naturel est ici inversé : *si la vertu* donne la noblesse à un homme à qui *le sang* a manqué, de même *le vice* l'ôte à un homme à qui le sang l'avait donnée. — 2. Bien que tu sois *sorti* (né) de moi.

● **Géronte détrompé** — Corneille réduit à un seul épisode la colère et l'indignation de Géronte, et attend le début du dernier acte pour provoquer cette péripétie. C'est le grand moment de la pièce, sur le plan dramatique comme sur le plan moral. Car on ne peut reprocher aux mensonges de Dorante aucune lâcheté, aucune vilenie. On ne peut lui reprocher que son manque de respect pour son père (voir le v. 1150) et son indifférence pour la morale aristocratique de l'honneur (voir le v. 814).
Corneille n'hésite pas à violenter un peu les idées reçues sur la séparation des genres et à donner à Géronte, jusque-là personnage effacé et légèrement ridicule, une réelle grandeur.
① Étudiez les procédés qui donnent au monologue son ton soutenu. Par quels éléments reste-t-il du domaine de la comédie?
② Dorante n'a guère le temps de parler. Quelle idée se fait-il de la noblesse (v. 1504)? Commentez les mots, mais aussi le ton de ce vers.

● **« La Verdad sospechosa » (II, 9) :**

DON BELTRAN. — Êtes-vous gentilhomme, Garcia?
DON GARCIA. — Je me tiens pour votre fils.
DON BELTRAN. — Suffit-il d'être mon fils pour être gentilhomme?
DON GARCIA. — Seigneur, je pense que oui.
DON BELTRAN. — Et tu as tort de le penser! Il faut agir comme un gentilhomme pour l'être. Qu'y a-t-il à l'origine des maisons nobles? Les hauts-faits de leurs premiers auteurs. Sans considération de naissance, les exploits d'hommes humbles ont donné noblesse à leurs héritiers. En est-il ainsi?
DON GARCIA. — Que les exploits confèrent la noblesse, je ne le nie pas. Mais vous ne nierez pas non plus que, même sans exploits, la naissance la donne aussi.
DON BELTRAN. — Mais si celui qui naît sans noblesse peut l'acquérir, n'est-il pas assuré qu'inversement celui qui est né noble peut perdre sa qualité?
DON GARCIA. — Assurément!
DON BELTRAN. — Donc, si vous vous abaissez à des actions honteuses, bien que vous soyez mon fils, vous cessez d'être un gentilhomme! Donc, si vos mœurs vous couvrent d'infamie publiquement, les armes de votre père ne comptent plus pour vous, la gloire de vos ancêtres cesse de vous protéger. Quoi! la renommée rapporte à mes oreilles que vous avez rempli Salamanque du bruit de vos mensonges et de vos fourberies? Quel gentilhomme et quel néant! (suite, p. 107).

DORANTE. — Moi ?

GÉRONTE. — Laisse-moi parler, toi de qui l'imposture
Souille honteusement ce don de la nature [1] :
Qui se dit gentilhomme, et ment comme tu fais,
1520 Il ment quand il le dit, et ne le fut jamais.
Est-il vice plus bas, est-il tache plus noire,
Plus indigne d'un homme élevé pour la gloire [2] ?
Est-il quelque faiblesse, est-il quelque action
Dont un cœur vraiment noble ait plus d'aversion,
1525 Puisqu'un seul démenti lui porte une infamie
Qu'il ne peut effacer s'il n'expose sa vie,
Et si dedans le sang il ne lave l'affront
Qu'un si honteux outrage imprime sur son front ?

DORANTE. — Qui [3] vous dit que je mens ?

GÉRONTE. — Qui me le dit, infâme ?
1530 Dis-moi, si tu le peux, dis le nom de ta femme.
Le conte qu'hier au soir tu m'en fis publier [4]...

CLITON, *bas, à Dorante.*
— Dites que le sommeil vous l'a fait oublier.

GÉRONTE. — Ajoute, ajoute encore avec effronterie
Le nom de ton beau-père et de sa seigneurie ;
1535 Invente à [5] m'éblouir quelques nouveaux détours.

CLITON, *à Dorante.*
— Appelez la mémoire ou l'esprit au secours [6].

GÉRONTE. — De quel front [7] cependant faut-il que je confesse
Que ton effronterie a surpris ma vieillesse,
Qu'un homme de mon âge a cru légèrement
1540 Ce qu'un homme du tien débite impudemment ?
Tu me fais donc servir de fable et de risée,
Passer pour esprit faible et pour cervelle usée !
Mais dis-moi, te portais-je à la gorge un poignard ?
Voyais-tu violence ou courroux de ma part ?
1545 Si quelque aversion t'éloignait de Clarice,
Quel besoin avais-tu d'un si lâche artifice ?
Et pouvais-tu douter que mon consentement
Ne dût tout accorder à ton contentement,
Puisque mon indulgence, au dernier point venue,
1550 Consentait [8] à tes yeux l'hymen d'une inconnue ?

---

1. La parole. — 2. Dorante se destine au métier *glorieux* des armes. — 3. Neutre : qu'est-ce qui ? — 4. Rendre public, en l'annonçant chez Clarice pour reprendre sa parole. — 5. Pour. — 6. Nouvelle reprise ironique des déclarations de Dorante (v. 935). Cliton les avait déjà utilisées pour se moquer (v. 1260), mais Dorante avait eu réponse aussitôt (v. 1261). Ici, Cliton va au-devant en parlant à la fois de *mémoire* et *d'esprit*. — 7. *Front* désigne le visage, la figure. — 8. *Consentait à l'hymen*; tournure classique.

Ce grand excès d'amour que je t'ai témoigné
N'a point touché ton cœur, ou ne l'a point gagné :
Ingrat, tu m'as payé d'une impudente feinte,
Et tu n'as eu pour moi respect, amour, ni crainte.
1555 Va, je te désavoue!

● **« La Verdad sospechosa »** (II, 9, suite de la p. 105) :

... Tout homme, noble ou plébéien, reçoit comme un affront le simple fait de lui dire qu'il ment. Dites-moi quelle offense ce sera, si je vis sans honneur et sans pouvoir me venger de celui qui m'aura dit que je mentais : car avez-vous une épée si large, une poitrine si dure, que vous pensiez pouvoir vous venger quand c'est tout le monde qui vous outragera? Est-il possible qu'un homme ait des pensées si basses que de vivre soumis à un vice, de tous le plus dépourvu de plaisir et de profit? La jouissance paie les tempéraments lascifs; le pouvoir de l'or est la raison des gens avides, la saveur des mets celle des gourmands, l'appas du gain celle des joueurs; la vengeance satisfait l'homicide, la gloire et la vanité ceux que leur épée démange. Tous les vices donnent plaisir ou profit. Mais que tire-t-on du mensonge, sinon le déshonneur et le mépris?

DON GARCIA. — Celui qui dit que je mens a menti.

DON BELTRAN. — Même ces paroles sont un mensonge : vous ne savez pas vous justifier sans inventer de nouveaux mensonges.

DON GARCIA. — Si vous êtes décidé à ne pas me croire...

DON BELTRAN. — Ne serais-je pas fou de croire que vous seul dites la vérité et que toute la ville ment?

① Appréciez ce jugement de F. Hémon : « Est-il possible d'être à la fois plus semblable par certains détails, plus différent par l'esprit? Chez Corneille, rien ne traîne en longues dissertations, [...], les raisonnements du poète espagnol sont condensés en formules saisissantes, et le dialogue devient une sorte de combat ».

● **« La Verdad sospechosa » (III, 9)** inspire Corneille à partir du vers 1537 :

DON BELTRAN. — Ciel! quel châtiment est-ce ci! Est-il possible qu'à quelqu'un qui aime la vérité comme je l'aime, vous ayez donné un fils de nature si opposée! Est-il possible qu'un homme jaloux de son honneur comme je le suis ait engendré un fils aux penchants si bas! [...]
Laisse-nous seuls, Tristan. Mais non, reviens; ne t'en va pas. Peut-être la honte de te savoir au courant de son infamie pourra-t-elle sur lui ce que n'a pu le respect de mes cheveux blancs. Et même si cette honte ne le contraint pas à corriger ses fautes, ce sera pour le moins son châtiment que de les voir publiées. Dis-moi, jeune écervelé, quelle fin poursuis-tu?Fou, dis-moi, quel plaisir trouves-tu à mentir sans pudeur? Et quand tu t'abandonnes à ton vice pour tout le monde, ne pourrais-tu pas le refréner avec moi? Dans quelle intention as-tu inventé le mariage de Salamanque, sinon pour faire perdre tout crédit à ma parole? Avec quelle figure parlerai-je à ceux à qui j'ai annoncé ton mariage avec Doña Sancha de Herrera, avec quelle figure, quand, sachant que cette Sancha est imaginaire, ils soupçonneront ma vieillesse d'être la complice de tes mensonges? Comment pourrai-je laver cette tache si, dans le meilleur cas, je ne peux m'en défaire qu'en la faisant retomber sur mon fils, et si, en disant que tu es la cause de tout, je me fais le héraut de ton infamie? Si quelque amour t'obligeait à me tromper, quel ennemi te contraignait? Quel poignard te menaçait? Sinon un père, sinon ton père enfin! Et ce nom suffit pour t'apprendre comment tes inquiétudes l'auraient attendri. Un vieil homme qui fut jeune et qui connaît la violence des flammes de l'amour dans un cœur juvénile! (Suite p. 109).

② Montrez que Corneille recrée son personnage à partir de thèmes ou d'expressions empruntés à Alarcon, mais qu'il évite de reproduire ses développements.

DORANTE. — Eh! mon père, écoutez.
GÉRONTE. — Quoi? des contes en l'air et sur l'heure inventés?
DORANTE. — Non, la vérité pure.
GÉRONTE. — En est-il dans ta bouche?
CLITON, *à Dorante.*
Voici pour votre adresse une assez rude touche [1].
DORANTE. — Épris d'une beauté qu'à peine j'ai pu voir
1560 Qu'elle a pris sur mon âme un absolu pouvoir,
De Lucrèce, en un mot : vous la pouvez connaître...
GÉRONTE. — Dis vrai : je la connais, et ceux qui l'ont fait naître;
Son père est mon ami.
DORANTE. — Mon cœur en un moment
Étant de ses regards charmé si puissamment,
1565 Le choix que vos bontés avaient fait de Clarice,
Sitôt que je le sus, me parut un supplice;
Mais comme j'ignorais si Lucrèce et son sort
Pouvaient avec le vôtre avoir quelque rapport [2],
Je n'osai pas encor vous découvrir la flamme
1570 Que venaient ses beautés d'allumer dans mon âme [3];
Et j'avais ignoré, Monsieur, jusqu'à ce jour
Que l'adresse d'esprit fût un crime en amour.
Mais si je vous osais demander quelque grâce,
A présent que je sais et son bien et sa race,
1575 Je vous conjurerais, par les nœuds les plus doux
Dont l'amour et le sang puissent m'unir à vous,
De seconder mes vœux auprès de cette belle :
Obtenez-la d'un père, et je l'obtiendrai d'elle.
GÉRONTE. — Tu me fourbes encor.
DORANTE. — Si vous ne m'en croyez,
1580 Croyez-en pour le moins Cliton que vous voyez :
Il sait tout mon secret.
GÉRONTE. — Tu ne meurs pas de honte
Qu'il faille que de lui je fasse plus de compte,
Et que ton père même, en doute de ta foi,
Donne plus de croyance à ton valet qu'à toi?
1585 Écoute : je suis bon, et malgré ma colère,
Je veux encore un coup montrer un cœur de père;

---

1. Un coup reçu; image tirée du vocabulaire de l'escrime. — 2. Le détail est exact, Dorante n'a été renseigné qu'à la sc. 4 de l'acte III. Mais n'est-ce pas une raison inventée après coup? — 3. Variante (1644), après le vers 1570.

Et vous oyais parler d'un ton si résolu,
Que je craignis sur l'heure un pouvoir absolu;
Ainsi donc, vous croyant d'une humeur inflexible,
Pour rompre cet hymen je le fis impossible.
Et j'avais ignoré...

Je veux encore un coup pour toi me hasarder [1].
Je connais ta Lucrèce et la vais demander;
Mais si de ton côté le moindre obstacle arrive...

DORANTE. - 1590 Pour vous mieux assurer [2], souffrez que je vous suive.

1. M'exposer à des mésaventures. — 2. Pour que vous ayez toutes garanties : voir le v. 1381.

● **« La Verdad sospechosa » (III, 9,** suite de la p. 107) :

DON GARCIA. — Si tu connais la puissance de l'amour, elle suffira donc pour que tu me comprennes : qu'elle m'aide, mon père, à obtenir ton pardon! Il m'a semblé peu respectueux pour tes cheveux blancs de ne pas t'obéir quand je le pouvais, c'est pourquoi je t'ai menti. Ce fut un mauvais calcul, non pas un crime; non pas une faute, mais une ignorance. La cause de tout cela, c'est l'amour, et toi, mon père, tu dis qu'elle suffit à m'excuser. Maintenant que tu connais le mal, apprends quelle en est l'origine. Doña Lucrecia, la fille de Don Juan de Luna, est l'âme de ma vie. Elle est fille aînée et héritière de sa maison, et pour que je sois heureux en recevant sa belle main, il ne manque que ton consentement. Accorde-le, et publie hautement que je me suis dit marié pour l'amour d'elle, et que ce bruit est mensonger.

DON BELTRAN. — Non, non, par Jésus! tais-toi. Veux-tu m'en faire accroire d'autre façon? Il suffit! Si tu me disais que voilà une lumière, j'aurais lieu de croire que tu me trompes!

DON GARCIA. — Non, Seigneur. Ce qu'on manifeste par des actes est pure vérité. Et Tristan, en qui tu as confiance, témoignera de mon amour.

TRISTAN. — Oui, Seigneur, ce qu'il dit est la vérité.

DON BELTRAN. — Cela ne te confond-il pas? N'as-tu pas honte d'avoir besoin que ton domestique accrédite tes paroles? C'est bien. Aujourd'hui je vais parler à Don Juan, et fasse le Ciel qu'il te donne Lucrecia! Mais d'abord je veux m'informer de tout ceci à Salamanque. Car je crains qu'au moment où tu avoues m'avoir trompé, tu ne me trompes encore, et, bien que j'aie appris la vérité avant que tu me la dises, tu me l'as rendue suspecte rien qu'en la confessant! *(Il s'en va).*

● **Dorante répond « la vérité pure »** (v. 1557) — Don Garcia, amoureux, abordait son père pour lui demander l'autorisation d'épouser Lucrecia : sa réponse était toute trouvée, et elle était sincère. Au contraire, Dorante est venu sur la Place Royale dans un tout autre dessein; il improvise une réponse malgré lui (voir la sc. 4).
Cette réponse est habile. Aux accusations de son père, il oppose des arguments : il a menti par respect et par amour. Puis, fidèle à sa tactique (voir les v. 979-980), il propose une initiative qui engage l'avenir (v. 1573-1578). Jamais, en tout cas, il ne manifeste aucun regret. Il dit la vérité, sans doute, et aucun de ses arguments n'est un mensonge. Mais il ne dit pas la vérité parce qu'elle est la vérité; il la dit, comme le mensonge, parce qu'elle le sert. Il y a dans sa tirade quelque chose de composé. Il calcule le meilleur moyen d'éviter l'orage (voir le v. 1627).
Au reste, il n'hésite pas à parler de son amour pour son père (v. 1576) et termine, dans l'oubli total de la gravité de la scène précédente, par un trait d'une aimable fatuité (*je l'obtiendrai d'elle*, v. 1578).

● **Géronte accepte** — Chez lui, le bon père, trop bon, et qui le répète souvent (v. 1585), l'emporte sur l'homme en colère. Ne risque-t-il pas de redevenir le père ridicule des actes précédents? Non, car cette fois-ci il tient son fils et il sent qu'il le tient. La scène s'achève par des menaces qu'on a souvent rapprochées de celles du vieil Horace (*Horace*, III, sc. 6).
① Montrez que Dorante se trouve ainsi, au moment où il l'emporte, pris au propre piège de son habileté.

GÉRONTE. — Demeure ici, demeure, et ne suis point mes pas :
Je doute, je hasarde, et je ne te crois pas.
Mais sache que tantôt si pour cette Lucrèce
Tu fais la moindre fourbe ou la moindre finesse,
1595 Tu peux bien fuir mes yeux et ne me voir jamais;
Autrement souviens-toi du serment que je fais :
Je jure [1] les rayons du jour qui nous éclaire
Que tu ne mourras point que [2] de la main d'un père,
Et que ton sang indigne à mes pieds répandu
1600 Rendra prompte justice à mon honneur perdu.

SCÈNE IV. — DORANTE, CLITON.

DORANTE. — Je crains peu les effets d'une telle menace.

CLITON. — Vous vous rendez trop tôt et de mauvaise grâce;
Et cet esprit adroit, qui l'a dupé deux fois,
Devait en galant homme aller jusques à trois :
1605 Toutes tierces [3], dit-on, sont bonnes ou mauvaises.

DORANTE. — Cliton, ne raille point, que [4] tu ne me déplaises :
D'un trouble tout nouveau j'ai l'esprit agité.

CLITON. — N'est-ce point du remords d'avoir dit vérité?
Si pourtant ce n'est point quelque nouvelle adresse [5];
1610 Car je doute à présent si vous aimez Lucrèce,
Et vous vois si fertile en semblables détours,
Que, quoi que vous disiez, je l'entends au rebours.

DORANTE. — Je l'aime, et sur ce point ta défiance est vaine;
Mais je hasarde trop, et c'est ce qui me gêne [6].
1615 Si son père et le mien ne tombent point d'accord,
Tout commerce [7] est rompu, je fais naufrage au port.
Et d'ailleurs, quand l'affaire entre eux serait conclue,
Suis-je sûr que la fille y soit bien résolue?
J'ai tantôt [8] vu passer cet objet si charmant :
1620 Sa compagne, ou je meure [9]! a beaucoup d'agrément.
Aujourd'hui que mes yeux l'ont mieux examinée,
De mon premier amour j'ai l'âme un peu gênée :
Mon cœur entre les deux est presque partagé,
Et celle-ci l'aurait, s'il n'était engagé.

CLITON. — 1625 Mais pourquoi donc montrer une flamme si grande,
Et porter votre père à faire une demande?

---

1. Je prends à témoin. — 2. Autrement *que*. — 3. « Cette plaisanterie est tirée de l'opinion où l'on était alors que le troisième accès de fièvre décidait de la guérison ou de la mort » (Voltaire). Il n'est pas sûr cependant que Cliton emploie cette image médicale : on connaît la valeur particulière du nombre *trois* dans la suite des chiffres (cf. « Jamais deux sans trois »). — 4. Afin *que*. Ce tour est encore employé dans la langue orale. — 5. Ruse. — 6. Tourmente. — 7. Toutes relations. — 8. Dernièrement. On se demande quand, dans le temps resserré de la pièce. — 9. Que *je meure* : voir le v. 485.

DORANTE. — Il ne m'aurait pas cru, si je ne l'avais fait.

CLITON. — Quoi! même en disant vrai, vous mentiez en effet[1]?

DORANTE. — C'était le seul moyen d'apaiser sa colère.
1630 Que maudit soit quiconque a détrompé mon père!
Avec ce faux hymen j'aurais eu le loisir
De consulter mon cœur, et je pourrais choisir.

CLITON. — Mais sa compagne enfin n'est autre que Clarice.

---

1. En réalité.

- **La scène** 4 n'a pas d'équivalent dans le texte espagnol. Mais elle est nécessaire à Corneille pour mettre en place quelques éléments de son dénouement, très fortement modifié.

- **« Sa compagne, ou je meure! a beaucoup d'agrément »** (v. 1620) — Cette *compagne*, c'est Lucrèce (la véritable) à qui Dorante va donner tout naturellement le nom de Clarice (v. 1633-1637). L'aveu marque, chez Dorante, une certaine instabilité. Même s'il préfère Clarice depuis le premier moment, on le sent prêt à changer au gré des circonstances. Il n'aime passionnément ni l'une ni l'autre, il joue à l'amour, pour le plaisir d'intriguer. L'aveu prépare le dénouement; on y a vu, le plus souvent, un artifice par lequel le « bon Corneille » atténue la rigueur d'un mariage forcé. Lui-même semble le suggérer dans son *Examen* : voir p. 122, l. 34-39. Mais on n'a pas vu que Corneille prépare aussi sa dernière scène dans son ensemble. Il fallait bien que Corneille donne à Dorante une liberté d'esprit totale entre les deux jeunes filles, pour lui permettre de manœuvrer comme il le fera.

  Par cet artifice, Corneille recrée son Dorante. Don Garcia est pris au piège de l'amour et puni de ses indélicatesses. Dorante, au contraire, affranchi de toute servitude, est ou redevient un type, c'est-à-dire un personnage qui n'évolue pas, qui demeure fidèle à sa définition et qui reste disposnible pour une *suite : la Suite du Menteur.*

- **« Quoi! même en disant vrai, vous mentiez en effet?»** (v. 1628) — Dorante avoue n'avoir obéi, en face de son père, qu'à un calcul : souci d'apaiser sa colère (v. 1629), donc de trouver un argument fort (v. 1627); la demande en mariage de Lucrèce ne correspond pas à ses vœux secrets. Il aurait voulu avoir le loisir (v. 1631) de réfléchir.
  Toute la scène 4 a donc un but précis : montrer l'inefficacité sur Dorante de l'intervention de Géronte. Le contraste des deux scènes rend sensibles la légèreté, l'inconscience du Menteur. On sent qu'il échappe à la morale de sa caste et de la société. Mais l'apostrophe de Géronte pèsera sur tout le dénouement comme une limite au triomphe de Dorante; car ce triomphe sera situé en marge de toute vraisemblance et de toute morale concrète, dans la jeunesse, l'ivresse ou l'irréalité du personnage..

DORANTE. — Je me suis donc rendu moi-même un bon office [1].
1635 Oh! qu'Alcippe est heureux, et que je suis confus!
Mais Alcippe, après tout, n'aura que mon refus [2].
N'y pensons plus, Cliton, puisque la place est prise.
CLITON. — Vous en voilà défait aussi bien que d'Orphise.
DORANTE. — Reportons à Lucrèce un esprit ébranlé,
1640 Que l'autre à ses yeux même avait presque volé.
Mais Sabine survient.

Scène V. — DORANTE, SABINE, CLITON.

DORANTE. — Qu'as-tu fait de ma lettre?
En de si belles mains as-tu su la remettre?
SABINE. — Oui, Monsieur, mais...
DORANTE. — Quoi? mais!
SABINE. — Elle a tout déchiré.
DORANTE. — Sans lire?
SABINE. — Sans rien lire.
DORANTE. — Et tu l'as enduré?
SABINE. - 1645 Ah! si vous aviez vu comme elle m'a grondée!
Elle me va chasser, l'affaire en est vidée [3].
DORANTE. — Elle s'apaisera; mais pour t'en consoler,
Tends la main
SABINE. — Eh! Monsieur.
DORANTE. — Ose encor lui parler.
Je ne perds pas sitôt toutes mes espérances [4].
CLITON. - 1650 Voyez la bonne pièce [5] avec ses révérences!
Comme ses déplaisirs sont déjà consolés,
Elle vous en dira plus que vous n'en voulez.
DORANTE. — Elle a donc déchiré mon billet sans le lire?
SABINE. — Elle m'avait donné charge de vous le dire;
1655 Mais, à parler sans fard...
CLITON. — Sait-elle son métier!
SABINE. — Elle n'en a rien fait et l'a lu tout entier.
Je ne puis si longtemps abuser un brave [6] homme.
CLITON. — Si quelqu'un l'entend mieux [7], je l'irai dire à Rome [8].
DORANTE. — Elle ne me hait pas, à ce compte?
SABINE. — Elle? non.
DORANTE. - 1660 M'aime-t-elle?
SABINE. — Non plus.

---

1. En inventant le récit qui a empêché son mariage avec Clarice. Ou bien la phrase est ironique, car il commence à l'aimer; ou elle est dite sérieusement, et elle traduit le soulagement de n'avoir pas à faire un choix qui l'embarrasse. — 2. Ce que je refuse. — 3. Réglée. — 4. C'est la réaction constante de l'optimiste Dorante : voir le v. 1073. — 5. L'hypocrite. — 6. Généreux : voir le v. 1316. — 7. *Entend mieux* son métier qu'elle. — 8. Expression proverbiale qui fait peut-être allusion au pèlerinage lointain que représentait *Rome* à l'époque, et qui signifie : je n'hésiterai pas à aller loin pour le dire.

DORANTE. — Tout de bon?
SABINE. — Tout de bon.
DORANTE. — Aime-t-elle quelque autre?
SABINE. — Encor moins.
DORANTE. — Qu'obtiendrai-je?
SABINE. — Je ne sais.
DORANTE. — Mais enfin, dis-moi...
SABINE. — Que vous dirai-je?
DORANTE. — Vérité.
SABINE. — Je la dis.
DORANTE. — Mais elle m'aimera?
SABINE. — Peut-être.
DORANTE. — Et quand encor?
SABINE. — Quand elle vous croira.
DORANTE. - 1665 Quand elle me croira? Que ma joie est extrême!
SABINE. — Quand elle vous croira, dites qu'elle vous aime.
DORANTE. — Je le dis déjà donc et m'en ose vanter,
Puisque ce cher objet n'en saurait plus douter :
Mon père...
SABINE. — La voici qui vient avec Clarice.

SCÈNE VI. — CLARICE, LUCRÈCE, DORANTE, SABINE, CLITON.

CLARICE, *à Lucrèce.*
- 1670 Il peut te dire vrai, mais ce n'est pas son vice [1].
Comme tu le connais, ne précipite rien.

DORANTE, *à Clarice.*
— Beauté qui pouvez seule et mon mal et mon bien...

CLARICE, *à Lucrèce.*
— On dirait qu'il m'en veut [2], et c'est moi qu'il regarde.

LUCRÈCE, *à Clarice.*
— Quelques regards sur toi sont tombés par mégarde.
1675 Voyons s'il continue.

DORANTE, *à Clarice.*
— Ah! que loin de vos yeux
Les moments à mon cœur deviennent ennuyeux!
Et que je reconnais par mon expérience
Quel supplice aux amants est une heure d'absence!

1. Ironique : *ce n'est pas* son habitude. — 2. C'est à moi qu'il en a, c'est moi qu'il courtise.

CLARICE, *à Lucrèce.*
— Il continue encor.

LUCRÈCE, *à Clarice.*
— Mais vois ce qu'il m'écrit.

CLARICE, *à Lucrèce.*
- 1680 Mais écoute.

LUCRÈCE, *à Clarice.*
— Tu prends pour toi ce qu'il me dit.

CLARICE, *à Lucrèce.*
— Éclaircissons-nous-en.
(*Haut, à Dorante.*) Vous m'aimez donc, Dorante?

DORANTE, *à Clarice.*
— Hélas! que cette amour [1] vous est indifférente!
Depuis que vos regards m'ont mis sous votre loi...

CLARICE, *à Lucrèce.*
— Crois-tu que le discours s'adresse encore à toi?

LUCRÈCE, *à Clarice.*
- 1685 Je ne sais où j'en suis.

CLARICE, *à Lucrèce.*
— Oyons [2] la fourbe entière.

LUCRÈCE, *à Clarice.*
— Vu ce que nous savons, elle est un peu grossière.

CLARICE, *à Lucrèce.*
— C'est ainsi qu'il partage entre nous son amour :
Il te flatte de nuit, et m'en conte de jour.

DORANTE, *à Clarice.*
— Vous consultez [3] ensemble! Ah! quoi qu'elle vous die [4],
1690 Sur de meilleurs conseils disposez de ma vie ;
Le sien auprès de vous me serait trop fatal :
Elle a quelque sujet de me vouloir du mal [5].

LUCRÈCE, *en elle-même.*
— Ah! je n'en ai que trop, et si je ne me venge...

CLARICE, *à Dorante.*
— Ce qu'elle me disait est de vrai fort étrange.

DORANTE. - 1695 C'est quelque invention de son esprit jaloux.

CLARICE. — Je le crois ; mais enfin me reconnaissez-vous?

DORANTE. — Si je vous reconnais! quittez ces railleries,
Vous que j'entretins hier dedans les Tuileries,
Que je fis aussitôt maîtresse de mon sort.

CLARICE. - 1700 Si je veux toutefois en croire son rapport,
Pour une autre déjà votre âme inquiétée...

---

1. Mot couramment féminin à l'époque de Corneille et jusqu'à la fin du siècle. — 2. Écoutons. — 3. Vous délibérez. — 4. Cette forme de subjonctif (pour *dise*) était encore usuelle. — 5. Il croit que l'autre est Clarice, donc celle qu'il a refusé d'épouser.

DORANTE. — Pour une autre déjà je vous aurais quittée?
Que plutôt à vos pieds mon cœur sacrifié...

CLARICE. — Bien plus, si je la crois, vous êtes marié.

DORANTE. - 1705 Vous me jouez, Madame, et sans doute pour rire,
Vous prenez du plaisir à m'entendre redire [1]
Qu'à dessein de mourir en des liens si doux,
Je me fais marié pour tout autre que vous.

CLARICE. — Mais avant qu'avec moi [2] le nœud d'hymen vous lie,
1710 Vous serez marié, si l'on veut, en Turquie.

DORANTE. — Avant qu'avec tout autre on me puisse engager,
Je serai marié, si l'on veut, en Alger.

CLARICE. — Mais enfin vous n'avez que mépris pour Clarice?

DORANTE. — Mais enfin vous savez le nœud de l'artifice,
1715 Et que pour être à vous je fais ce que je puis.

---

1. En effet, il le lui a déjà dit, à la scène du balcon (v. 1019-20). — 2. Clarice a pris pour elle ce que Dorante disait à « Lucrèce » de celle qu'il nommait « Clarice » (voir le v. 1050). D'où la confusion, et la réponse, sincère, de Dorante.

● **La scène** 6 est de nouveau, comme la scène du balcon (III, 5), un *imbroglio* qui, jusqu'au coup de théâtre (v. 1717), repose sur le même quiproquo : Dorante confond le nom de Lucrèce et la personne de Clarice, alors que les jeunes filles ignorent tout de cette confusion.

① Montrez que la progression est assurée d'une scène à l'autre, mais que l'élément fondamental de tout imbroglio est maintenu : aucun des personnages ne domine la situation, et personne sur la scène ne comprend rien à ce qui se passe.

② Montrez que Corneille prolonge entre les jeunes filles la rivalité sourde qui les opposait à la fin de l'acte IV. Commentez le ton de leurs répliques.

● **Le fragment de dialogue entre Clarice et Dorante** (v. 1696-1715) qui prolonge l'imbroglio est imité de l'espagnol *(La Verdad sospechosa*, acte III, sc. 6*)* :

JACINTA. — Me connaissez-vous?

DON GARCIA. — Oui, par Dieu! tellement que, depuis le jour où je vous ai parlé à la Plateria, je ne me connais plus, à cause de vous. Je suis tellement transformé que je ne sais plus qui je suis et que j'ai oublié qui je fus.

JACINTA. — Il est aisé de voir que vous avez oublié qui vous fûtes, puisque vous recherchez un nouvel amour sans plus savoir que vous êtes marié.

DON GARCIA. — Moi, marié? Vous le croyez?

JACINTA. — Et pourquoi non?

DON GARCIA. — Quelle folie! Ce fut une invention pour pouvoir être votre époux.

JACINTA. — Ou pour ne pas l'être, et si l'on vous reparle de ce mariage, vous serez marié en Turquie.

DON GARCIA. — Et je vous jure à nouveau, par Dieu! qu'avec l'amour que j'éprouve, pour toutes les autres je suis marié, et pour vous seule je suis libre.

③ Corneille s'est souvenu de l'effet comique que produit la reprise par Clarice des mots de Dorante (les v. 1709-1710 reprennent en effet les v. 1049-1050). Démontez-en le mécanisme, en analysant la confusion que Clarice a faite et continue de faire.

CLARICE. — Je ne sais plus moi-même, à mon tour, où j'en suis.
Lucrèce, écoute un mot.

DORANTE, *bas, à Cliton.*

— Lucrèce! que dit-elle?

CLITON, *à Dorante.*

— Vous en tenez [1], Monsieur : Lucrèce est la plus belle;
Mais laquelle des deux? J'en ai le mieux jugé,
1720 Et vous auriez perdu si vous aviez gagé.

DORANTE, *à Cliton.*

— Cette nuit à la voix j'ai cru la reconnaître.

CLITON, à *Dorante.*

— Clarice sous son nom parlait à sa fenêtre;
Sabine m'en a fait un secret entretien [2].

DORANTE, *à Cliton.*

— Bonne bouche, j'en tiens [3]; mais l'autre la vaut bien;
1725 Et comme dès tantôt [4] je la trouvais bien faite,
Mon cœur déjà penchait où mon erreur le jette.
Ne me découvre point; et dans ce nouveau feu
Tu me vas voir, Cliton, jouer un nouveau jeu.
Sans changer de discours, changeons de batterie.

LUCRÈCE, *à Clarice.*

- 1730 Voyons le dernier point [5] de son effronterie;
Quand tu lui diras tout, il sera bien surpris.

CLARICE, *à Dorante.*

— Comme elle est mon amie, elle m'a tout appris :
Cette nuit vous l'aimiez, et m'avez méprisée.
Laquelle de nous deux avez-vous abusée?
1735 Vous lui parliez d'amour en termes assez doux.

DORANTE. — Moi? depuis mon retour je n'ai parlé qu'à vous.

CLARICE. — Vous n'avez point parlé cette nuit à Lucrèce?

DORANTE. — Vous n'avez point voulu me faire un tour d'adresse?
Et je ne vous ai point reconnue à la voix?

CLARICE. - 1740 Nous dirait-il bien vrai pour la première fois?

DORANTE. — Pour me venger de vous j'eus assez de malice
Pour vous laisser jouir d'un si lourd artifice,
Et, vous laissant passer pour ce que vous vouliez,
Je vous en donnai plus que vous ne m'en donniez [6].
1745 Je vous embarrassai, n'en faites point la fine [7] :
Choisissez un peu mieux vos dupes à la mine.

---

1. Vous êtes dupé : voir le v. 687. — 2. Une confidence sur laquelle elle lui a demandé le secret. — 3. On ignore le sens précis de l'expression *bonne bouche*. Elle semble signifier « bouche close », donc « silence! » (Marty-Laveaux, Lexique de l'éd. de Corneille). Marque-t-elle l'admiration pour Clarice, le dépit ou le soulagement? Quant à l'expression *J'en tiens*, elle peut avoir deux sens : « être amoureux « ou » être dupé par quelqu'un ». Le vers reste obscur. — 4. Voir les v. 1619-1624. — 5. *Le dernier* degré, le comble. — 6. *En donner* (à croire) : chercher à tromper. — 7. Ne cherchez pas quelque *finesse* pour le cacher.

Vous pensiez me jouer; et moi je vous jouais,
Mais par de faux mépris que je désavouais;
Car enfin je vous aime, et je hais de ma vie
1750 Les jours que j'ai vécu [1] sans vous avoir servie.

CLARICE. — Pourquoi, si vous m'aimez, feindre un hymen en l'air,
Quand un père pour vous est venu me parler?
Quel fruit de cette fourbe osez-vous vous promettre?

LUCRÈCE, *à Dorante.*
— Pourquoi, si vous l'aimez, m'écrire cette lettre?

DORANTE, *à Lucrèce.*
- 1755 J'aime de ce courroux les principes cachés :
Je ne vous déplais pas, puisque vous vous fâchez.
Mais j'ai moi-même enfin assez joué d'adresse,
Il faut vous dire vrai, je n'aime que Lucrèce.

1. Sur cet accord, voir p. 76, n. 6.

● **Le coup de théâtre** (v. 1717) — Alarcon a donné à sa pièce une fin que n'a pas retenue Corneille (voir p. 19) : le quiproquo qui a égaré Don Garcia est révélé à tout le monde en même temps qu'à lui; il ne peut plus mentir, et doit épouser Lucrecia par force.
Chez Corneille, au contraire, quand Dorante comprend, il garde le secret de ses confusions d'identité : il est donc maître de choisir sa tactique et de continuer à mentir. Ceci, ajouté au fait que la véritable Lucrèce ne lui déplaît pas, lui rend toute sa liberté d'esprit et de manœuvre.

① Cliton apporte à Dorante une précision indispensable (v. 1722-23). Que pensez-vous de la manière dont Corneille met à la disposition de Dorante tous les éléments du triomphe?

② Faites le point des éléments dont dispose Dorante au moment où il se jette au milieu du danger pour y remporter la victoire.

● **La victoire de Dorante** se développe en deux temps :
— Il se joue des deux filles en faisant des ruses de ses confusions et en déclarant son amour aux deux successivement.
— A partir du v. 1760, il emporte Lucrèce de haute lutte.

● **Dorante entre Clarice et Lucrèce** — Il prend plaisir à bafouer Clarice, en la trompant (v. 1739), en l'accablant de mépris (v. 1745-1746), en lui déclarant son amour pour aussitôt le démentir (v. 1749, 1757); il prend aussi plaisir à éprouver Lucrèce (v. 1755), il emploie avec elles deux fois le mot de *venger* (v. 1741 et 1764). Il est visible qu'il s'amuse à tenir Clarice et Lucrèce dans l'incertitude.

③ A y regarder de près, ce jeu est singulièrement cruel. Cherchez, dans le texte, le rythme du jeu, la nature des personnages, les éléments qui voilent cette cruauté.

CLARICE, *à Lucrèce.*
— Est-il un plus grand fourbe? et peux-tu l'écouter?

DORANTE, *à Lucrèce.*
1760 Quand vous m'aurez ouï, vous n'en pourrez douter.
Sous votre nom, Lucrèce, et par votre fenêtre,
Clarice m'a fait pièce [1], et je l'ai su connaître [2];
Comme en y consentant vous m'avez affligé,
Je vous ai mise en peine, et je m'en suis vengé.

LUCRÈCE. 1765 Mais que disiez-vous hier dedans les Tuileries?

DORANTE. — Clarice fut l'objet de mes galanteries...

CLARICE, *à Lucrèce.*
— Veux-tu longtemps encore écouter ce moqueur?

DORANTE, *à Lucrèce.*
— Elle avait mes discours, mais vous aviez mon cœur,
Où vos yeux faisaient naître un feu [3] que j'ai fait taire,
1770 Jusqu'à ce que ma flamme [3] ait eu l'aveu d'un père :
Comme tout ce discours n'était que fiction,
Je cachai mon retour et ma condition.

CLARICE, *à Lucrèce.*
— Vois que fourbe sur fourbe à nos yeux il entasse,
Et ne fait que jouer des tours de passe-passe [4].

DORANTE, *à Lucrèce.*
1775 Vous seule êtes l'objet dont mon cœur est charmé [5].

LUCRÈCE, *à Dorante.*
— C'est ce que les effets m'ont fort mal confirmé.

DORANTE. — Si mon père à présent porte parole [6] au vôtre,
Après son témoignage, en voudrez-vous quelque autre?

LUCRÈCE. — Après son témoignage il faudra consulter [7]
1780 Si nous aurons encor quelque lieu d'en douter.

DORANTE, *à Lucrèce.*
— Qu'à de telles clartés votre erreur se dissipe.
(*A Clarice.*)
Et vous, belle Clarice, aimez toujours Alcippe;
Sans l'hymen de Poitiers il ne tenait plus rien;
Je ne lui ferai pas ce mauvais entretien;
1785 Mais entre vous et moi vous savez le mystère [8].
Le voici qui s'avance, et j'aperçois mon père.

---

1. M'a joué un tour. — 2. Reconnaître, découvrir. — 3. *Feu, flamme*, avaient perdu toute valeur imagée et étaient simples synonymes d'amour. — 4. Expression populaire dont la familiarité, déplacée dans la bouche de Clarice, prend de ce fait une valeur psychologique. — 5. Sens fort : ensorcelé. — 6. Si mon père fait une proposition de mariage *au vôtre*. — 7. Examiner. — 8. Sans le mensonge du faux mariage, Dorante épousait Clarice. En somme, Alcippe et Clarice lui doivent de la reconnaissance!

GÉRONTE. — *Je veux te marier* (II, 5, v. 573)

Bernard Dhéran (DORANTE)
Jacques Servière (GÉRONTE)
Georges Descrières (ALCIPPE)

Clichés Bernand

Comédie-Française
1955

DORANTE. — *D'amour?*
ALCIPPE. — *Je le présume* (I, 5, v. 238)

SCÈNE VII. — GÉRONTE, DORANTE, ALCIPPE, CLARICE, LUCRÈCE, ISABELLE, SABINE, CLITON.

ALCIPPE, *sortant de chez Clarice et parlant à elle.*
— Nos parents sont d'accord, et vous êtes à moi.

GÉRONTE, *sortant de chez Lucrèce et parlant à elle.*
— Votre père à Dorante engage votre foi.

ALCIPPE, *à Clarice.*
— Un mot de votre main, l'affaire est terminée.

GÉRONTE, *à Lucrèce.*
- 1790 Un mot de votre bouche achève l'hyménée.

DORANTE, *à Lucrèce.*
— Ne soyez pas rebelle à seconder mes vœux.

ALCIPPE. — Êtes-vous aujourd'hui muettes toutes deux?

CLARICE. — Mon père a sur mes vœux une entière puissance.

LUCRÈCE. — Le devoir d'une fille est dans l'obéissance.

GÉRONTE, *à Lucrèce.*
- 1795 Venez donc recevoir ce doux commandement.

ALCIPPE, *à Clarice.*
— Venez donc ajouter ce doux consentement.
(*Alcippe rentre chez Clarice avec elle et Isabelle, et le reste rentre chez Lucrèce.*)

SABINE, *à Dorante, comme il rentre.*
— Si vous vous mariez, il ne pleuvra [1] plus guères.

DORANTE. — Je changerai pour toi cette pluie en rivières.

SABINE. — Vous n'aurez pas loisir seulement d'y penser.
1800 Mon métier ne vaut rien quand on s'en peut passer.

CLITON, *seul.*
— Comme en sa propre fourbe un menteur s'embarrasse!
Peu sauraient comme lui s'en tirer avec grâce.
Vous autres qui doutiez s'il en pourrait sortir,
Par un si rare exemple apprenez à mentir.

1. Sabine reprend la plaisanterie du v. 1287.

● **La conquête de Lucrèce** — Lucrèce est amoureuse de Dorante, mais reste réticente. Il y a un point faible dans le système de Dorante, et elle le souligne (v. 1765). Elles est encouragée dans cette voie par Clarice (v. 1759, 1767, 1773-1774) : une Clarice lucide par humiliation, et peut-être de mauvaise foi.

L'argument que Dorante oppose à l'objection de Lucrèce (v. 1766) est faible, et l'explication qui suit, embrouillée (v. 1768-1772); de plus, elle ne porte pas (v. 1776).
C'est alors le coup de génie (v. 1777). Dorante sait qu'il lui faudra épouser Lucrèce : son père est allé la demander pour lui, et les menaces paternelles ne peuvent pas être oubliées. Il se donne alors le mérite de cette démarche (en toute mauvaise foi, car celle dont il demandait la main à son père était en fait Clarice sous le nom de Lucrèce), il tourne à son avantage un événement qu'il n'a pas souhaité, et fait de la nécessité un argument. Lucrèce est ébranlée (v. 1779-1780) et, comme pour l'achever, les faits viennent justifier les mensonges de Dorante : Géronte entre en scène.

- **Ainsi tout concourt pour assurer le triomphe de Dorante** — Il se tire d'affaire : celle qu'il épouse le croit, celle qu'il n'épouse pas est neutralisée. Mais quel est le sens de ce triomphe?
— Est-ce un dénouement heureux pour lui, parce qu'il épouse celle qu'il aime? Il est vrai qu'il n'a pas d'aversion pour elle. A-t-il de l'amour? Dans *la Suite du Menteur*, Cliton nous apprend (acte I, sc. 1) que Dorante a fui la veille de son mariage. Rien ne permet d'affirmer que Corneille prévoyait cette fuite quand il écrivit *le Menteur*, mais au moins n'a-t-il pas jugé, en composant *la Suite*, qu'elle fût incompatible avec la nature de son héros.
De plus, la scène dernière du *Menteur*, avec sa symétrie entre les deux mariages, soulignée par la symétrie rigoureuse des répliques et des jeux de scène, sort du domaine de la comédie pour entrer dans celui du ballet.
— Le triomphe de Dorante n'est pas dans le dénouement d'une intrigue. Il est dans la liberté et la supériorité que le héros conserve jusqu'à la fin par ses mensonges. Il est dans l'absence de toute signification moralisante du cours des événements : au contraire, les événements semblent s'ordonner comme pour donner raison à Dorante, qui est quelque peu magicien (par la grâce de Corneille).
C'est dans cette perspective que s'expliquent les répliques finales : le dernier mot de Dorante à Sabine (v. 1798) comme le couplet de Cliton (v. 1801-1804), qui scandalisait fort les tenants du théâtre moralisant. Le personnage de Dorante est resté jusqu'à la fin l'être très peu réel, le pur esprit d'intrigue et d'invention que Corneille s'est amusé à lancer dans le monde. Trop génial pour être vrai (l'accumulation des ruses qui permettent sa victoire a, dans les dernières scènes, quelque chose de volontairement invraisemblable), trop dépouillé de toute humanité sensible pour évoluer ou comprendre quoi que ce soit, il sort de la scène comme il était entré, intact. Le dénouement est donc conforme à l'ensemble de la pièce, qu'il termine comme un divertissement. Divertissement cruel peut-être, mais surtout gratuit. C'est parce qu'il reste en dehors du monde que Dorante assure définitivement, dans l'esprit du spectateur, son triomphe, celui **d'un « personnage de théâtre », séduisant, irréel, insaisissable.**

EXAMEN (1660)

Cette pièce est en partie traduite, en partie imitée de l'espagnol. **Le sujet** m'en semble si spirituel et si bien tourné que j'ai dit souvent que je voudrais avoir donné les deux plus belles que j'aie faites, et qu'il fût de mon invention. On l'a attribué au fameux Lope de Vega, mais il m'est tombé depuis peu entre les mains un volume de D. Juan d'Alarcon où il prétend que cette comédie est à lui et se plaint des imprimeurs qui l'ont fait courir sous le nom d'un autre [1]. Si c'est son bien, je n'empêche pas qu'il ne s'en ressaisisse. De quelque main que parte cette comédie, il est constant qu'elle est très ingénieuse, et je n'ai rien vu dans cette langue qui m'ait satisfait davantage. J'ai tâché de la réduire à notre usage et dans nos règles, mais il m'a fallu forcer mon aversion pour les *a parte*, dont je n'aurais pu la purger sans lui faire perdre une bonne partie de ses beautés. Je les ai faits les plus courts que j'ai pu, et je me les suis permis rarement sans laisser deux acteurs ensemble, qui s'entretiennent tout bas, cependant que d'autres disent ce que ceux-là ne doivent pas écouter. Cette duplicité d'action particulière ne rompt point l'unité de la principale, mais elle gêne un peu l'attention de l'auditeur, qui ne sait à laquelle s'attacher, et qui se trouve obligé de séparer aux deux ce qu'il est accoutumé de donner à une. **L'unité de lieu** s'y trouve en ce que tout s'y passe dans Paris, mais le premier acte est dans les Tuileries, et le reste à la place Royale. **Celle de jour** n'y est pas forcée, pourvu qu'on lui laisse les vingt et quatre heures entières. Quant à **celle d'action**, je ne sais s'il n'y a point quelque chose à dire en ce que Dorante aime Clarice dans toute la pièce, et épouse Lucrèce à la fin, qui par là ne répond pas à la protase [2]. L'auteur espagnol lui donne ainsi le change pour punition de ses menteries et le réduit à épouser par force cette Lucrèce qu'il n'aime point. Comme il se méprend toujours au nom et croit que Clarice porte celui-là, il lui présente la main quand on lui a accordé l'autre, et dit hautement, quand on l'avertit de son erreur, que, s'il s'est trompé au nom, il ne se trompe point à la personne. Sur quoi le père de Lucrèce le menace de le tuer s'il n'épouse sa fille après l'avoir demandée et obtenue, et le sien propre lui fait la même menace. Pour moi j'ai trouvé cette **manière de finir** un peu dure, et cru qu'un mariage moins violenté serait plus au goût de notre auditoire. C'est ce qui m'a obligé à lui donner une pente vers la personne de Lucrèce au cinquième acte, afin qu'après qu'il a reconnu sa méprise aux noms, il fasse de nécessité vertu de meilleure grâce, et que la comédie se termine avec pleine tranquillité de tous côtés.

---

1. L'histoire a rendu son bien à Alarcon. — 2. L'exposition.

ÉTUDE DU « MENTEUR »

1. La critique classique

La comédie du *Menteur* connut un vif succès dès sa création. Les aveux de Corneille, l'exploitation de ce succès dans *la Suite du Menteur*, les anecdotes les plus amusantes et les légendes les plus contestables le prouvent, comme celle qui prête à Molière cet aveu étonnant :

Lorsqu'il parut [...] j'avais bien l'envie d'écrire, mais j'étais incertain de ce que j'écrirais, mes idées étaient confuses; cet ouvrage vint les fixer. Le dialogue me fit voir comment causaient les honnêtes gens; la grâce et l'esprit de Dorante m'apprirent qu'il fallait toujours choisir un héros du bon ton; le sang-froid avec lequel il débite ses faussetés me montra comment il fallait établir un caractère; la scène où il oublie lui-même le nom supposé qu'il s'est donné (*sic*) m'éclaira sur la bonne plaisanterie; et celle où il est obligé de se battre par suite de ses mensonges me prouva que toutes les comédies ont besoin d'un but moral. Enfin, sans *le Menteur* j'aurais sans doute fait quelques pièces d'intrigue, *l'Étourdi, le Dépit amoureux*, mais peut-être n'aurais-je jamais fait *le Misanthrope*.

Cette anecdote est fausse (inventée par François de Neufchâteau) et, s'il est vrai que Molière a joué constamment *le Menteur* sur sa propre scène, ce qu'on lui fait dire du bon ton, de la bonne plaisanterie et du but moral de la comédie est trop contraire à son œuvre pour être admissible. Mais ce jugement est caractéristique des erreurs d'interprétation qui vont désormais peser sur *le Menteur* : on y voit un premier crayon de l'œuvre de Molière et, au lieu d'en déterminer l'originalité, on va multiplier les réticences devant une pièce qui ne coïncide pas avec les schémas d'analyse de la comédie dite « classique ».

On ne sait pas s'il s'agit d'une comédie d'intrigue ou de caractère, et comme on n'imagine pas de comédie en dehors de ces catégories, on choisit tantôt l'une, tantôt l'autre :

Quoique *Le Menteur* soit très agréable et qu'on l'applaudisse encore aujourd'hui, j'avoue que la comédie n'était point encore à la perfection. Ce qui dominait dans les pièces était l'intrigue et les incidents, erreurs de nom, déguisements, lettres interceptées, aventures nocturnes, et c'est pourquoi on prenait presque tous les sujets chez les Espagnols, qui triomphaient sur ces matières. Ces pièces ne laissaient pas d'être fort plaisantes et pleines d'esprit, témoin *le Menteur, Dom Bertrand de Cigarral* et *le Geôlier de soi-même !* Mais enfin la plus grande beauté de la comédie était inconnue; on ne songeait point aux mœurs et aux caractères; on allait chercher bien loin les sujets de rire dans des événements imaginaires, avec beaucoup de peine, et on ne s'avisait point de les aller prendre dans le cœur humain, qui en fourmillait.

(FONTENELLE, *Vie de P. Corneille.*)

On ne peut refuser au *Menteur* une place très distinguée parmi les bonnes comédies de caractère. (GEOFFROY, *Cours de littérature.*)

Les critiques ne savent même plus s'il s'agit d'une comédie. Parce que Corneille est un auteur tragique, ils s'attachent à relever les vers du *Menteur* qui appartiennent à ce registre, et ils en concluent au défaut d'unité de la pièce :

Corneille, avant d'avoir composé des tragédies, s'était fait un nom en remaniant des comédies espagnoles. La seule de ces pièces qui soit restée au théâtre, c'est le *Menteur*, imité de Lope de Vega, et qui, à mon avis, ne prouve aucun talent comique. Un poète habitué à monter sur des échasses n'a que des mouvements maladroits dans un genre où il ne s'agit que de marcher à fleur de terre, mais avec grâce et légèreté.

(SCHLEGEL, *Cours de littérature dramatique.*)

Corneille rentra dans l'imitation espagnole par *le Menteur*, comédie dont il faut admirer bien moins le comique (Corneille n'y entendait rien) que l'imbroglio, le mouvement et la fantaisie. (SAINTE-BEUVE, *Portraits littéraires.*)

Pour nous, nous prendrions volontiers le contre-pied du mot de Sainte-Beuve, et nous dirions : *Le Menteur* est une comédie dont il faut admirer bien moins l'intrigue (Corneille sur ce point reste au-dessous d'Alarcon) que le comique du dialogue et le détail plaisant des caractères. (Félix HÉMON, *le Menteur*, 1889.)

On s'attache à montrer les défauts de l'intrigue, sa faiblesse et son manque d'intérêt dramatique : les mensonges en sont gratuits, l'amour de Dorante pour Clarice n'est pas passionné, la portée morale de l'œuvre est faussée.

C'est un amour de tête bien plutôt que de cœur : l'imagination seule l'a fait naître, l'imagination seule le soutient. Quelle sympathie, dès lors, peut éveiller en nous, quelle inquiétude peut nous inspirer ce caprice? [...] Le plaisir que lui donne cette aventure l'occupe, le trouble parfois, jamais ne l'égare; il reste maître de lui; la preuve qu'il ne se laisse pas envahir tout entier par cet amour, c'est qu'il observe froidement les personnes et juge avec impartialité de leurs mérites; c'est qu'après avoir été charmé par Clarice, il est charmé par Lucrèce. Il est vrai que le bon Corneille n'avait trouvé que ce moyen pour nous préparer au dénouement; mais le dénouement n'en reste pas moins pénible. De deux choses l'une, en effet : ou Dorante aime vraiment Clarice, et en ce cas rien n'est plus douloureux, plus désagréable à la pensée, que le quiproquo d'où sort cet autre mariage inattendu; ou il ne l'a jamais aimée dans l'âme, et que dire alors de la froide comédie où il a joué son rôle? Sans doute Dorante reste séduisant malgré tout à nos yeux, parce qu'il est jeune, spirituel, naïvement audacieux... L'impression d'ensemble reste pourtant équivoque. (Félix HÉMON)

Dans cette perspective, la comparaison faite avec le modèle espagnol ne peut conclure qu'au mérite de Corneille et à la supériorité d'Alarcon, tant pour l'habileté et la subtilité de son intrigue, que pour la valeur morale de son enseignement.

Corneille rendait déjà un assez grand service à notre théâtre, lorsqu'il y importait pour la première fois un sujet vraiment comique, sans nulle prétention d'en modifier la pensée fondamentale, et qu'il le revêtait pour nous des beautés d'une diction encore inconnue en ce genre [...] Le succès de l'imitation s'étend uniquement à ces parties de la pièce espagnole qui mettent en jeu le caractère du Menteur; l'effort pénible, la confusion, l'absence d'intérêt résultent chez l'imitateur de son impuissance à transporter sur la scène française l'autre moitié du type original, cette intrigue de *mœurs espagnoles* qu'Alarcon a si habilement fondue dans sa comédie de caractère. (M. VIGUIER, dans l'appendice à l'édition Marty-Laveaux , tome IV.)

2. **La comparaison avec le modèle espagnol**, débarrassée de tout préjugé, permet de comprendre mieux peut-être ce qu'a voulu faire Corneille avec son *Menteur*.

Il existe des **modifications imposées par les lois du théâtre français en 1640** : le décor réduit à deux lieux; l'unité des actes et la liaison des scènes, la réduction des apartés; le respect des bienséances et des modes parisiennes, qui interdisent par exemple de reproduire le duel ou la scène du cloître. Nous n'avons pas à juger Corneille sur ces points précis, mais à faire l'effort de les admettre. Cet effort est-il au reste très considérable?

Mais il existe des modifications que rien n'imposait, sinon **un choix conscient de Corneille.** D'abord Corneille élimine ou atténue tous les éléments sérieux ou pathétiques du modèle. Pas de passion d'amour, mais un jeu de galanterie; le seul personnage réellement amoureux de la pièce, Alcippe, est traité avec un détachement plein d'humour, ses plaintes sont atténuées, il passe plus nettement encore que dans le modèle au second plan. Clarice, qui aime Alcippe, est saisie par l'auteur dans un moment de désarroi. Tout le pathétique se concentre sur Géronte et encore en une seule scène, au début de l'acte V.

Corneille élimine toute démonstration moralisatrice. Dorante est parfois déplaisant, mais il n'est jamais odieux. Mensonges et quiproquos l'entraînent dans des imbroglios amusants, mais jamais il n'est puni. La modification du dénouement est, de ce point de vue, caractéristique. Corneille rend son Dorante amoureux de Lucrèce et lui fait improviser *in extremis* un mensonge par lequel il rétablit son prestige. On critique volontiers le « bon » Corneille d'avoir inventé cet amour tardif, car on se contente d'y voir un artifice dramatique au niveau de l'intrigue. Alors que, pour Corneille, c'est visiblement le moyen d'assurer le triomphe de son personnage. Il trompe tout le monde et épouse quand même celle qui ne lui déplaît pas. Le dernier vers souligne avec quelle désinvolture Corneille a pulvérisé l'appareil démonstratif de *la Verdad sospechosa*.

La pièce n'a même pas le souci de nous donner un enseignement moral, écrit ANTOINE ADAM *(Hist. de la littérature fr. au XVIIe s.*, t. II*)*. La comédie d'Alarcon prétendait nous dégoûter du mensonge par une vive peinture des traverses où il entraîne le menteur. Corneille supprime la leçon. Son Dorante n'est guère puni, car s'il est obligé de renoncer à Clarice et d'épouser Lucrèce, il venait de découvrir que celle-ci était bien plus belle que son amie. Pour la leçon, elle est en vérité plaisante et d'une désinvolture charmante :

Par un si rare exemple apprenez à mentir!

Corneille ensuite s'attache à transposer et à développer un certain nombre d'éléments propres à la comédie de mœurs. Il vise une certaine vérité de l'ensemble et du tableau « parisien », fidèle en cela à ses premières ambitions.

Ces traits rappellent exactement les premières comédies de Corneille, et si *le Menteur* se rattache à la comédie espagnole par son sujet, il se rallie par son souci d'observation morale aux œuvres de ses débuts. Ces jeunes filles à marier, ces jeunes galants, ces personnages finement dessinés, avec un sens admirable des nuances morales, ces scènes de jalousie, de dépit, de reprises, c'était déjà l'essentiel de *Mélite* et de *la Veuve*. De même le comique à peine marqué, naissant de la vérité des mœurs bourgeoises, plus capable de faire naître le sourire que de provoquer le rire, on avait pu l'observer vingt ans plus tôt, dans ces œuvres charmantes. (ANTOINE ADAM).

Enfin Corneille concentre tous les effets de la pièce autour de la seule figure de Dorante. S'il retient certains éléments d'intrigue, certains traits de caractère ou de mœurs, en ajoute d'autres pour « dépayser » sa pièce, tout ce qui n'est pas Dorante passe au second plan. *La Verdad sospechosa* est une véritable comédie d'intrigue, *le Menteur* est d'abord la présentation d'une « figure ». Que ce soient les jeunes filles, dont le rôle est moindre que dans la pièce espagnole (et même que dans les premières comédies de Corneille), que ce soient Cliton, Alcippe et même Géronte, tous tournent autour du personnage central qu'ils éclairent plus qu'ils ne vivent par eux-mêmes. C'est peut-être la raison pour laquelle Corneille n'a pas reproduit la scène du cloître, parce que tous les personnages y jouent à égalité et chacun pour soi. Corneille a suffisamment montré, avec la scène du balcon (acte III), le retour d'Alcippe (acte IV) et la remontrance de Géronte (acte V), les obstacles que rencontre Dorante : il veut assurer son triomphe et invente une scène, la dernière, où il domine.

3. **L'originalité de Corneille** apparaît clairement à la lumière de cette comparaison.

Il est vrai que *le Menteur* n'est pas une comédie de caractère, mais une comédie n'a pas besoin nécessairement de « caractères », il suffit qu'elle présente des personnages vivants.

C'est dire que *le Menteur* n'est pas une comédie de caractère. Corneille a voulu naturellement que son menteur fût vraisemblable, que son portrait fût peint de couleurs justes. Mais son propos n'est nullement d'en creuser les profondeurs, de révéler les secrets de l'homme qui ment. Il est de nous distraire, de nous amuser avec les ingénieux développements de son intrigue, de nous promener de scène en scène en compagnie de son charmant Dorante. Quelles révélations sur le mensonge pourrions-nous en attendre? (ANTOINE ADAM).

C'est un merveilleux divertissement dont le charme tient d'abord au style et au langage. Ce mérite de l'œuvre a été reconnu de tout temps, mais comme une qualité mineure, alors qu'il est l'essence même de cette **comédie poétique**.

Si sa comédie nous semble aujourd'hui admirable [...], c'est moins pour l'ingéniosité de son intrigue et les finesses de l'observation que pour la beauté de sa langue. Véritable jaillissement de mots et d'images, d'expressions proverbiales et de tours populaires. Langage savoureux, mais ferme en même temps et de la plus haute tenue, également éloigné de l'académisme abstrait et terne et d'un réalisme aux truculences excessives... (ANTOINE ADAM).

Ce divertissement est construit autour d'un personnage volontairement sans épaisseur réelle ou réaliste. C'est le rêveur de la Place Royale, l'inventeur, le poète, chez qui le mensonge n'est pas le vice vulgaire que l'on désigne d'ordinaire par ce nom.

Pour Dorante, tout est vrai dans le sentiment. Ni hypocrisie, ni veulerie, mais seulement la légère ivresse qu'éveillent un visage de femme sous le masque et d'aimables paroles. Le mensonge est né de cette bouffée de tendresse. Il envahit tout, aussitôt. Voici Dorante jour et nuit dans le quartier, à chercher Clarice, au bal, à la promenade. Il a donné des sérénades en son honneur, des fêtes sur l'eau. Le mensonge est pour Dorante cette respiration pleine; féerie spacieuse où se satisfait un besoin du cœur. Il faut à l'amour ce cortège de rendez-vous, de collations, de clair de lune et de barques illuminées. N'existeraient-ils pas, tout amour les invente. Jeu sans bassesse. C'est la générosité, le feu du cœur qui font de Dorante un personnage trop grand pour lui, ces gestes et ces fastes d'homme d'épée et de seigneur. Chez lui, le cœur ne ment pas; il illumine seulement toute chose, univers et langage. Dorante s'ébroue, flambe, part en étincelles. Il ne joue pas un rôle, un personnage; il est ce rôle et ce personnage. Présent, vivant dans son mensonge; vrai dans son mensonge. Il y croit :

On dirait qu'il dit vrai, tant son effronterie
Avec naïveté pousse une menterie.

Tel est ce mensonge plein de grandeur, l'exaltation même de l'amour. (Octave Nadal, *le Sentiment de l'amour dans l'œuvre de Corneille.*)

Il existe un rapport entre mensonge et héroïsme, qui contribue beaucoup au charme de la pièce.

Romanesque de l'amour, volonté d'aimer, mensonge héroïque, l'amant et le héros osent inventer leur victoire. Est-il un mensonge plus aimable, plus courageux? La parenté secrète de *l'Illusion Comique* au *Cid* et au *Menteur*, Corneille faisait sans doute plus que de la pressentir. Qu'on songe à sa défense de Dorante dont il ne peut s'empêcher d'admirer les grâces! Lucrèce, Clarice font-elles autre chose? Troublées par tant de ferveur, par cet air gentilhomme et cette projection éblouissante de l'imagination sur toute chose, elles butent toutes deux contre cette lumière; elles sont tentées. Et l'on comprend bien qu'elles le soient par la vérité et la force d'un sentiment qui ne sait s'exprimer que par le mensonge. (Octave Nadal).

Ainsi *le Menteur* est le contrepoint comique de l'univers héroïque de Corneille. Ne pourrait-on appliquer entièrement à Dorante cette définition de l'héroïsme cornélien, conçue en fonction des grandes tragédies?

Le sublime cornélien naît donc d'un mouvement particulier par lequel l'impulsion humaine, sans se nier ni se condamner, s'élève au-dessus de la nécessité. C'est un mouvement directement jailli de la nature, et qui pourtant la dépasse, une nature supérieure à la simple nature. Nature par la démarche ouverte de l'ambition, que ne tempère aucune gêne, et plus que nature, par la puissance que le moi s'attribue d'échapper à tout esclavage. La vertu cornélienne est au point où le cri naturel de l'orgueil rencontre le sublime de la liberté. La grande âme est justement celle en qui cette rencontre s'opère. (Paul Bénichou, *Morales du Grand Siècle.*)

C'est, en fin de compte, Corneille lui-même qui nous avoue que, loin de condamner son héros, il l'admire :

Il est hors de doute que c'est une habitude vicieuse que de mentir; mais Dorante débite ses menteries avec une telle présence d'esprit et tant de vivacité que cette imperfection a bonne grâce en sa personne, et fait confesser aux spectateurs que le talent de mentir ainsi est un vice dont les sots ne sont point capables .

(Discours du poème dramatique.)

Le mouvement de fierté avec lequel Corneille parle de son Dorante confirme, s'il est besoin, que la moralité de sa pièce lui importe peu ; seule compte la figure du personnage qui la domine, véritable héros dans le cadre particulier d'une comédie poétique.

TABLE DES MATIÈRES

Imprimerie Jean-Lamour, 54320 Maxéville

Dépôt légal : août 1995 - Dépôt légal 1re édition : 1964

Imprimé en France